U0063249

古邸之怪

大
眞
相

作者：柯南·道爾（Arthur Conan Doyle，1859～1930）

處處留心皆學問——
福爾摩斯的冷靜智慧

顏世錫

福爾摩斯探案是許多人年輕時代裡鮮明的記憶，也是我早年喜愛閱讀的故事，世界書局在七十年前第一次把它引入中國白話文的世界，如今又重新編修出版。閻初總經理託我爲這套書作序，她是我多年好友，也是我從江兆申老師習字時的小師妹，因此便慨然應允。

故事書中懸疑緊湊的情節，現在讀來仍舊津津有味；但我從事警政工作幾十年來，早已在犯罪的刀光血影中走過千百回，也經歷了各式大小案件，如今重讀此書，感覺最值得玩味的，是福爾摩斯的冷靜、智慧和勇氣。他敏銳的觀察力和縝密的推理分析實是破案的重要關鍵。當然，隨著時代的進步，各種鑑識科技應運而生，爲偵辦工作提供了更多更好的輔助，但這位神探的博學多聞、細心耐心、追求眞理、堅持原則的特質，應該是這套書背後所傳達的重要意涵。這不僅是犯罪偵查人員必須具備的要件，引申到現代生活中，也是一般大眾應該加強的思維。

近年來，治安問題始終是大家關切的焦點，犯罪手法的翻新和犯罪年齡的下降給社會帶來了空前的挑戰。今日，打擊犯罪要靠警民合作，不要妄想仰賴一、二位超人神探，而是要靠許多福爾摩斯的配合——人人都應留意自己周遭的人事物，遇有狀況，冷靜分析，並熱心負起改善治安的責任。青少年朋友更要不盲從、不衝動、多用眼、用腦、用手去開啓自己正確的路。其實，福爾摩斯風靡世界一百年，始終在各個時代裡蟬聯青少年心中的英雄，他永遠光鮮的外表、永遠零亂的書桌、他獨特的衣帽煙斗、千變萬化的喬裝掩飾、冷靜聰明的頭腦、鍥而不捨的作風、濟弱扶傾但尊重法理的俠義精神，不也正符合我們這個時代年輕朋友最「酷」的選擇嗎？與其盲目崇拜偶像，不如冷靜分析什麼是自己該堅持的主張，才不致迷失徬徨。

我想，福爾摩斯雖然是在柯南．道爾筆下塑造的人物，但能跨越時空、歷久彌新，是因為他以最有趣引人的手法，在許多人的生活中引起共鳴：我們都有探索黑暗與未知的好奇，也都有找出眞相、伸張正義的嚮往；我們都希望具備超人智慧，能先知先覺地解決難題，也都希望在零亂紛擾的疑團中抽絲剝繭地理出邏輯。就在事實與想像裡、在假設與證據間、在科學理論與小說創作下，你我心中都有福爾摩斯的影子！喜見世界書局再一次把他帶進讀者的世界，也希望讀者把他的冷靜、智慧與勇氣帶進自己周遭的世界。

一九九七年十二月二十五日

出版緣起　當福爾摩斯重現世界

閻初

一八四一年，美國，愛倫・坡發表《莫爾格街謀殺案》，偵探小說這個名詞第一次出現。當時，在東方，列強的炮火早已轟開了中國的大門，他們正用鴉片對這個民族進行集體謀殺。林則徐等人企圖緝兇歸案，但終告失敗。

一八八七年，英國，一位身材削瘦、披著斗蓬、叨著煙斗的神探誕生了。當時，正值光緒十三年，慈禧歸政德宗，其實東方也很需要一位智多星，能幫著皇帝懲惡捉奸、撥亂反治。

接著，甲午戰爭、戊戌變法後，晚清的翻譯小說便紛紛出現，一九〇二年，最早的一篇文言福爾摩斯刊登在梁啓超編的《新民叢報》和《新小說》上。

民國十六年，上海，世界書局出版《福爾摩斯探案大全集》，由「中國偵探泰斗」程小青和嚴獨鶴、包天笑等人以白話文翻譯。從此，這位西方的神探便正式進駐龍蛇混雜的十里洋場，而他的傳奇經歷，也快速地傳遍中國各地，成爲家喻户曉的人物。

譯者程小青先生自幼喪父，原本在鐘錶店裡當學徒，工作之餘便到夜校補習英文。他寫作時認眞嚴謹，講究專業精神，除了大量閱讀西方偵探小說外，還特別透過函授，修習美國警官學校的犯罪心理學和偵探應用技術等課程。據聞，每當他開始構思小說情節時，常常跑到杳無人煙之處，苦思冥想，直到倦鳥歸巢，他才返家命筆。透過他的譯筆，福爾摩斯成爲風靡大衆的一個有情、有理、有趣的偶像。

東方古老沈重的社會裡，永遠流傳著包青天、施不全的奇聞軼事，他們是神仙下凡，是老天爺賞給小老百姓的難得恩賜；但洋人筆下的福爾摩斯，卻是科學的、智慧的凡人，他靠冷靜謀略使眞相大白、讓沈冤昭雪、叫惡人伏法，舉凡聰明博學者皆可爲之。福爾摩斯的受歡迎、被認同實也反映了當時社會的背景：問天聽天的封建已被打破，科學民主正是主流，西潮洶湧、人心激盪，而苦難仍是一個接著一個地降臨在小老百姓身上，於是，人們期盼一個合邏輯的救難英雄——福爾摩斯正適合；人們也渴望脫離無解的現實，進入另一個善惡分明、凡事找得到答案的文明世界——偵探小說正是這樣一個非神化的理性空間。

當時的社會背景也符合現在的情境，只是，物慾更橫流、道德更淪喪、犯罪更猖狂！

一九九七年，福爾摩斯重現世界，距離他第一次在我們的白話文世界裡出現恰巧七十年，古人說：「七十而從心所欲，不逾矩。」所以，我們在忠於原著並尊重譯者的原則下，將百餘萬字重新順讀潤飾，並修改程小青先生的上海方言、文白夾雜和人名地名的翻譯，以便更符合現代閱讀習慣。我們相信新的口語、新的包裝，將帶給福爾摩斯新生的體魄，再加上他歷久彌新、雋永沈潛的智慧與勇氣，必更能遊刃有餘地展開工作。然而，現代犯罪花樣的翻新、犯罪組織的龐大，豈可靠一個神探解決，所以，世界書局徵召各方好漢，一起來做他智勇雙全的好幫手。

偵探小說向來不被新文學正視，它只是個生活消遣品，但它確實能反應出某些社會意義。百餘年來，我們中國人從那個問天祭天謝天的封建中走過來，掙著敲打出這個民有民治民享的雛局，但目前的自由和法治眼看正在消失，於是在亂相威逼下，人們方才醒悟到在民主社會中，天子可以推翻，但天道不可悖離，個人的小惡、衆人的姑息，必將鑄成大錯，不可收拾。今日我們撥亂反治，也不能只翹首青天，還是要從每個小人物的細心、關心和警覺心做起。這套「化了妝的社會科學教科書」，或許能啓發我們一些敏銳觀察、分析判斷和沈穩處事的能力。畢竟，花繁柳密處撥得開，方見手段；風狂雨驟時立得定，才是腳跟。我們愛這花花世界，總要在變通與原則之間，找出自己安身立命的方法。

福爾摩斯長篇探案

古邸之怪(*A Hound of Baskervilles*)

目錄

古邸之怪（原名 The Hound of Baskervilles）

第一章　粗心的來客

歇洛克・福爾摩斯先生已坐在他的早餐席上，他除了有時終夜不睡直坐到天明以外，起床的時間，常比我遲些。那時我站在壁爐前的氈毯上，取起前夜裡我們來客所遺忘的一根手杖細瞧。那是一根堅木製成，精緻且圓頭的手杖，這杖的材質俗稱做「檳榔子樹」。在那圓端的下面，有一條約一吋寬的銀箍，箍上刻著：「C. C. H.的朋友們，贈予國家外科醫學院學員詹姆士・毛廸麥」，下面還有「一八八四年」的年份。這種手杖就是那些老式的家庭醫生所常攜帶的，故而非常莊重堅實，並且也相當實用。

福爾摩斯忽問道：「華生，你認爲這東西怎樣？」

他本背向著我。我取了手杖察驗的事，他應該沒有瞧見。

我反問道：「你怎麼知道我在這裡做什麼事？我想你的後腦勺有長眼睛 。」

他道：「我這裡有一隻光亮的鍍銀咖啡壺。華生，你從我們來客的手杖上，究竟得到了些什麼？我們昨夜沒有遇見他，也不知道他來有什麼事情，因此這偶然的遺留物，已成了一個重要的東西。現在我且聽你說說，你從這根手杖上，猜想他是一個什麼樣的人？」

我照著我的同伴所常用的方法，把手杖察驗了一下，答道：「我認爲這個毛廸麥醫生是一個事業順利的老人，從人們贈給他的這根手杖上來看，可見他是一個受人尊敬的人。」福爾摩斯呼道：「好啊！棒極了！」

「我認爲他可能是一個鄉村醫生，出診時往往靠步行。」福爾摩斯道：「何以見得？」

「因爲這手杖本來是很精美的，但擦損處很多，城市醫生決不會再用了。那手杖末端的鐵頭又磨蝕得很厲害。這也足見他時常帶了這手杖步行。」福爾摩斯又道：「很近情理。」

我又道：「還有，那『C. C. H.的朋友們』的名義，我認爲是指什麼獵會之類的（獵會第一字母爲H）。也許當地獵會裡的會員曾受過這醫生的診療，故而送這小小的禮物酬謝他。」

「華生，你當眞有進步了。」福爾摩斯說著，並把他的坐椅推後了些，點了一根煙，又道：「你對於我每一種細小的功績，常好意地稱賞，但你卻輕視了你自己的才能。也許你本身並不是一種發光體，但你實在是一種傳光物。有許多人雖不是天才，卻有一種激勵天才的特殊能力，我親愛的老友，我老實承認，這一點我是很感激你的。」

他從來沒有說過這樣的話。那時這幾句話的確使我非常愉快。因爲從前我對於他的讚譽，和我把他的偵探方法介紹給公衆時，他常反應冷淡，有時還會使他惱怒。我想我應用了他的推斷方法，竟能夠得到他的讚許，那的確足以自傲的。他從我手裡取過那根手杖，瞧察了數分鐘。接著，忽顯出非常注意的神色，他把所吸的紙煙放下，取了手杖走到窗口，再用他的放大鏡仔細察驗。他一邊回到室隅的老座位上，一邊說道：「這東西雖然淺易，卻很有趣。在這手杖上，確實有一二個現象可以做爲我們推斷的根據。」

我自負地問道：「我所推斷的可還有什麼脫漏之點？我自信我所忽視的，大概不致有什麼重要的關係。」

「我親愛的華生，我想你的斷語恐怕大半是錯誤的。老實說，我剛才說你時常激勵我，那是因爲我覺察了你的錯誤，才引我到正路上去。但這一次，你還不致於全部錯。這人的確是一個鄉村醫生，並且他的確時常常步行的。」

我道：「那麼，我的推斷對了啊！」他道：「只有這兩點罷了。」「但已接近事實了啊！」

「不，不，我親愛的華生，並不完全——離完全正確還遠呢！例如，據我看來，這一種贈給醫生的禮物，與其說是獵會裡贈的，還不如說是醫院裡贈的更加恰當（醫院第一字母亦爲H）。那C.C.兩個縮寫字母，必是指醫院的名字。我覺得很像查林格洛斯醫院（Charing Cross）。」我道：「你也許料得沒錯。」

福爾摩斯道：「這一點就是我們推斷的方向。如果這一個假定果真成立，我們便有了新的根據，可以從這一點出發，推想這一個不知名來客的情況了。」

「那麼，我們姑且假定這C. C. H.三個縮寫字當眞是查林格洛斯醫院。我們還可有什麼發現呢？」

「難道這杖上沒有別的線索了嗎？你已知道我推究的方向。現在可應用一下了！」

「我只知道還有一個顯明之點。這人去鄉間行醫以前，曾經在城市中行醫的。」

「我想我們應比這個再進一步。你到這亮

的地方來看。試想這禮物爲了什麼事贈送，在情理上最確當？你想在什麼時候，他的朋友們會聯合贈這東西，表示他們的好意呢？這分明是在毛廸麥醫生離開了醫院的職務，自己開始行醫的當兒。現在我們已知道他的朋友們曾送他這種禮物，又知道他是從一個城市醫院中遷往鄉村去的醫生。那麼，我們就可以更進一步假定，這禮物是在他遷往鄉間的時候贈給他的。你想這一點可合理？」「那是可能的。」

「現在你也應知道，他所以要往鄉間去，大概是因爲不能在醫院裡得到要職的緣故。因爲這種醫院裡的要職，必須倫敦著名的人物才能得到。這種著名的人物當然不會往鄉間去的。那麼，他是什麼職位的人呢？他既在醫院裡，卻又不在主要的職位，那必是一個助理醫生——地位比一個醫學生略略高些。瞧那杖上的時間，他是在五年前離開的。可見你所假設下一個莊重的中年家庭醫生，此刻已化散在空氣之中，而是另外出現了一個年齡在三十以下的年輕醫生。那人很平易可親，但安於現狀。他還養著一隻狗，我可以約略形容那隻狗，比㹴犬（Terrier）大些，比獒犬（Mastiff）小些。」

歇洛克·福爾摩斯說到這裡，把身子靠著椅背，嘴裡吐出一圈圈的煙霧，煙霧朝天花板緩緩上昇。我不禁笑他憑空武斷。

我道：「你最後所說的幾點，我不想驗證。但這個人的年齡，大概還容易查明白的。」

於是我從我的小小的醫學書籍書架上，取下一本醫學指南，隨手翻到人名一欄。那裡有好幾個叫毛廸麥。但只有一個可和我們的來客符合。我把那節記載朗讀出來：

「詹姆士·毛廸麥，國家外科醫學院學員，

德文郡達特曠地人。一八八二至一八八四年在查林格洛斯醫院服務。曾於傑克森的比較病理學徵文競賽中，以他的『疾病是否隔代遺傳』的論文獲得首獎。他是瑞典病理學會通信會員。一八八二年，曾於雷斯雜誌發表一篇『隔代遺傳的畸形症』，一八八三年在生理學雜誌中發表他的『人們進步嗎？』的論文。他也在葛林本、沙司雷和哈孛落等處當過醫生。」

福爾摩斯等我念完，露出一種譏諷的微笑，說道：「華生，這記載中並沒有提起獵會啊！他眞的像你所說的是一個鄉村醫生。這節記載和我所推斷的總算沒有相差太遠。至於我對於他品性所下的形容詞，我記得是隨和、無志和粗心。據我的經驗，在當今的世界上，若不是平易可親，就不容易得到人家的敬愛；又因爲他無大志，才肯放棄了倫敦的生活，往鄉村去；此外那人在這裡等了一個鐘頭，不留一張名片，卻遺下這根手杖，也足見他的粗心健忘了。」

「那麼，你說他養著一隻狗，又有什麼根據呢？」

「那狗時常跟著牠的主人出來，並且喜歡咬牠主人的手杖，試瞧那杖上明顯的齒痕，便是一種明證。我瞧那狗齒排列的寬度，便料牠想比㹴犬大，比獒犬小。啊，牠是一種捲毛的獵犬。」

他說話的時候，早已站起身來，在室中踱著。這時他忽在窗前站住。我聽見他最後幾句話，似非常堅確，便仰起頭來瞧他。

我詫異地問道：「我親愛的朋友，這一點你怎能夠這樣確定呢？」

他答道：「因爲我已親眼瞧見這一隻狗來

到我們的門口了，而他的主人已在那裡按我們的門鈴。華生，請你不要走開。他是你的同業，你在這裡，於我有些助益。這眞是一個緊要的關頭。此刻你聽見那人已上樓來了，卻不知道是禍是福。你想這個醫學家詹姆士·毛她麥，卻來請教罪犯學家歇洛克·福爾摩斯，究竟有什麼用意呢——請進來！」

那來客的外表，實在是出我意料之外。他的身材很高而瘦削，鷹喙似的長鼻，在那一雙敏銳的灰色眼睛下面顯得很突出。他兩眼的距離很近，眼光從一副金邊眼鏡中透出，非常有力。他的年紀雖輕，背脊已略有些彎曲，行步時頭部向前，看去似很慈祥。他穿著一身醫生常穿的便服，但已有些破舊，因爲他的外套上已染著些斑污，褲上也有磨蝕的痕跡。他走進門來，眼睛瞧著福爾摩斯拿著的那根手杖，奔向前去，發出歡呼的聲音。

他道：「太好了！我正擔心這手杖是留在這裡，或遺忘在輪船賣票所中。這東西我萬萬不能掉的。」

福爾摩斯道：「我想這是禮物。」「正是，先生。」「可是查林格洛斯醫院裡的人贈給你的？」「是啊，醫院裡有兩三個朋友，在我結婚的時候送給我的。」福爾摩斯忽搖頭道：「哎喲，這糟糕了。」

毛她麥醫生的眼睛，在他的眼鏡背後不停地眨著，似乎有些詫異。問道：「什麼事糟糕了呀？」

「沒有什麼，只是你已把我們小小的假設推翻罷了。你不是說你在結婚時得到這禮物的嗎？」

「正是，先生。我結婚以後，就離開醫院。

因我到那醫院，原是爲了研究和學習而去的。我既娶妻自然要自立門戶了。」

福爾摩斯道：「還好，我們猜想終算沒有全部錯誤。毛廸麥醫生，你……」

那來客忽插口道：「先生，你稱我先生就好了。我是一個小小的國家外科醫學院的學員。」「但你分明是一個思想細密的人。」

「福爾摩斯先生，我在科學界裡，就像一個海邊的弄潮人，在那廣漠無邊的海灘上拾取些貝殼。我想此刻與我說話的就是歇洛克·福爾摩斯先生……」「不，這是我的朋友華生醫生。」

「啊，先生，很高興見到你。你的大名常和你的朋友相提並論。」說時又回頭問我友道：「福爾摩斯先生，你實在太吸引我的注意。我從來沒有見過長得像你這樣的頭顱，和這樣深陷的眼眶。你允許我摸一摸你的頭顱頂骨嗎？先生，我想在取得你頭顱的實物以前，假使照樣做一個模型，陳列在人體博物館裡，一定可以引起人家的興趣。我說這話，不是要惹你討厭，我實在很羨慕你的頭顱呢！」

歇洛克·福爾摩斯揮了揮手，請我們的來客坐下。

他道：「先生，我知道你專心於你的職業，就像我專心於我的職業一般。我瞧你的手指，知道你是自己捲紙煙抽的。你不必顧忌，儘可取出來吸。」

那人就從袋中取出煙絲和煙紙，著手捲煙，捲時非常熟練。他長長的手指顫動著，好像動物的觸鬚。

福爾摩斯靜坐無語，但我瞧他眼光炯炯有神，顯然他對於這位來客非常注意。

最後，他說道：「先生，我想你昨夜和今天兩次光臨，想必不是專爲了研究我的頭顱吧？」

「不是，不是。但我能見到你頭顱，的確是很高興。福爾摩斯先生，我所以到這裡來，就因我是一個沒實際經驗的人，現在卻忽然遭遇了一個重大的難題。我知道你是歐洲第二個專家……」

福爾摩斯忽變了臉色，道：「咦，請問那第一個是誰呢？」

「是一個有科學思想的麥歇·培第榮（即法國罪犯學家，發明以骨骼辨別眞相者），有許多人都承認他的本領。」

「那麼，你爲什麼不去請敎他呢？」

「先生，我說過他是一個有科學思想的人，但實際的經驗，卻只有你一人。先生，我希望我的話沒有冒犯你……」

福爾摩斯道：「稍微有一點冒犯。毛廸麥醫生，我想你如果已沒有別的話，就請你把你的困難和需要我幫助的問題，明白地說出來吧！」

第二章　古邸的故事

詹姆士・毛廸麥說道：「我衣袋中有一張文件。」

福爾摩斯道：「當你走進來的時候，我早瞧見這東西了。」毛廸麥道：「這是一種古舊的文書。」「大概在十八世紀初，否則這一定是僞造的了。」「先生，你怎麼知道的呀？」

「你那東西露出口袋外一二吋，所以當你談話的時候，已給我一個察驗的機會。假使一個專家見了一種紙，卻不能指出那紙的大概年代，這專家的本領也就有限了。我對於這個問題，曾寫過一篇小小的論文，你也許已經讀過。我敢說你的文件的年代約在一七三〇年間。」

毛廸麥從他的胸襟袋中，取出那張紙來，答道：「這紙的眞實年代是一七四二年。這紙本是查爾斯・巴斯克維爾爵士交給我執管的。爵士在三個月以前突然暴斃，德文郡的人們爲此驚亂異常。我是爵士的知己朋友，也是他的醫生。他是一個精明且意志堅強的人，並且也像我一樣重實際而不尚虛想的。可是他對於這一張紙卻非常重視，他的心底，似早預料有這惡果，後來果眞不幸應驗了。」

福爾摩斯伸出手來，接取那一張紙，鋪展在他的膝上。

他道：「華生，你看，那長S和短S的交替使用，就是線索來源，這使我認出紙的年代。」

我從他的肩頭上瞧去，見那張紙的顏色已經泛黃，墨跡也有些褪去。那張紙的上端，寫著巴斯克維爾爵邸，第二行就寫著一七四二年的年代。

福爾摩斯道：「這好像是一種記載。」毛廸麥道：「正是，這是一種神話式的記載，是巴斯克維爾家族傳下來的。」

福爾摩斯道：「但你到這裡來見我，想必另有什麼迫在眉梢的事吧？」

來客道：「當然就是眼前這件事，而且事情很急，必須在二十四小時內解決。而這一張文書很短，和這件事有密切的關係。你如果允許，我可以念給你聽。」

福爾摩斯靠著椅背，十個指尖互相抵接著。閉上眼睛，準備靜聽。毛廸麥醫生把紙湊近亮光，提高他的聲音，念出那一篇古代的奇聞：

「關於巴斯克維爾獵犬，有幾種不同的傳說。我是許谷・巴斯克維爾的直系血親。這故事是從我父親傳下來的，他則是得自祖父所傳。我現在記載下來，深信當時確實有過這一回事。我的兒子們，我願你們相信那公道的上帝，既能罰罪，也必能慷慨的恕赦。凡人無論有什麼過惡，只需誠心地祈禱和悔改，終可得到赦免的。因此，你們讀了這個故事，不必害怕。那過去的結果，只需在未來時小心謹慎，那麼，我們家族中所受的種種苦痛，也許不致於再降到我們後嗣的身上來了。

據克拉屯貴族所著的歷史記載，在我國大叛亂的時代，這一宅巴斯克維爾爵邸就屬許谷・巴斯克維爾所有。他是一個野蠻侮謾並不信神道的人。他侮謾上帝，還好附近宗教氣氛不濃厚，所以他還可得到鄰居們的原諒，但是他恣縱和兇惡的行爲，使他的姓名被西部人所不齒。許谷愛上了一個地主的女兒。那地主擁有廣大的地產，就在巴斯克維爾采田的附近。但那女郎是一個純潔而重視名譽的少女，因爲許谷惡名昭彰，所以她並不愛他，並且竭力逃避。因此，許谷在九月底的米加勒節，伙同五六個游蕩的無賴同伴，悄悄地到那地主的屋中，把女郎搶了回來。那時他事先知道女郎的父親和兄弟們都已出外，因此行動順利沒有被阻擋。他們把那女子搶到了爵邸以後，就將她關在樓上的一間小屋。許谷仍和他的朋友們在下面一塊兒縱飲歌唱，這原是他們每夜的常例。那時，那可憐的女子被緊閉在樓上，驚魂略定，神志漸漸地回復了。聽見下面歌唱叫囂，和種種可怕的咒罵聲。據大家傳說，許谷・巴斯克維爾在酒醉的時候，說的話更讓人驚怖。後來那女子被逼急了，忽然產生一股勇氣，竟從窗口爬出，又從南牆上至今還在的那根籐上，攀緣而下。她經過了一塊曠地，便朝她自己的家奔去，那裡和爵邸相距約有九英哩的路程。

過了一會兒，許谷離開他的朋友，帶了些酒食，拿到樓上要給他的俘虜吃，但見室中沒人，便知那女子已逃走了。於是他狂怒地像魔鬼一般，衝到樓下，奔進餐室，一跳跳上了那張大桌，桌上的酒杯盤碟都飛到地上。他大聲呼叫，向他的同伴們宣誓，他情願犧牲他的性命和靈魂，也要把那逃走的女子追回來。他的幾個同伴聽了，互相愕視了一下，有一個比他更兇惡更醉的人提議，他們可放獵狗追蹤。於是許谷立刻奔出去，吩咐他的馬夫們把他的馬備好，又將獵狗隊放了，取出那女子所留的一塊手帕，給獵狗嗅了一嗅。接著，就趁著月光，把那一大群獵狗，放到曠地中去追。

許谷的那些無賴朋友，因爲事情發生得非常突然，一時都不知所措。後來他們明白了許谷的意思，就立即行動，於是有些人鬧著取槍，有些鬧著駕馬，有些又帶了幾瓶酒去，一時竟亂成一片，一會兒，這些瘋狂的人們又回復了秩序，共有十三個人騎上了馬，揮鞭追去。那時月光明淨，他們驅馬前進，猜想那女子若回家去，必須經過那條路，他們於是也從這條路前進。

他們走了一兩英哩，在曠地上遇見一個守夜的牧人，便問他是否曾瞧見一個女子。那牧人見了一大群人，嚇得說不出話，最後才說他曾瞧見那不幸的女子，後面有一群獵狗追著。牧人又說道：『我還瞧見別的呢！我剛才見許谷·巴斯克維爾騎著他的黑馬從這裡經過，而他的背後卻有一隻可怕的大狗靜悄悄地跟著。願上帝保佑！永遠不要讓這種狗跟在我的後面！』

那些醉漢們聽了這話，把那牧人咒罵了一頓，便重新策馬前進。但不一會兒，他們聽到馬蹄奔跑的聲音，突然見巴斯克維爾的黑馬從對面衝來，嘴裡吐著白沫，鞍座已空，韁繩也拖在地上。大家都不勝驚恐，醉漢們連忙把馬扣在一起，假使他們單獨追趕，勢必一個個要掉轉馬頭回來了。他們一共有十三個人，只得勉強前進，雖然進行的速度緩慢，他們慢慢地趕上了獵狗。這些獵狗本來都是很勇猛的，但這時卻都停留在一條斜坡的上端，有些退縮的樣子，有幾隻更是聳耳張目地向前面的一條狹谷中望著。

那一班追蹤的人，都停住了馬。這時他們的頭腦，似乎比出發時清醒得多了，一大半的人都不願再向前進。但其中有三個膽子最大，也許是醉得最厲害的人，卻騎了馬向斜坡走去。那斜坡下面很寬闊。有兩塊大石聳著，似乎是什麼古代的人留在那裡的。月亮高掛天空閃耀，照見大石的中間，那不幸的女子躺著——已因驚疲而死。在她的旁邊，許谷．巴斯克維爾也倒在地上。但這兩個屍體的景象，還不足使那三個膽大的無賴覺得恐怖。使他們恐怖而毛髮聳豎的，是因爲瞧見了許谷的屍體上面站著一隻又黑又大像獵狗樣子的東西。那怪物比尋常瞧見的獵狗大上幾倍，可怕極了。當他們瞧見的時候，還見那東西正在齧噬許谷．巴斯克維爾的咽喉。這三個人忽見那獵狗似的怪物抬起發光的眼睛，和鮮血淋漓的牙齒，回頭向他們瞧視。他們都尖叫了一聲，策馬向來的地方逃去。據說這三人中的一人，因見了這種慘怖的情景，當夜就死了，其餘二人，也因悸怕成疾，終生變成廢人。

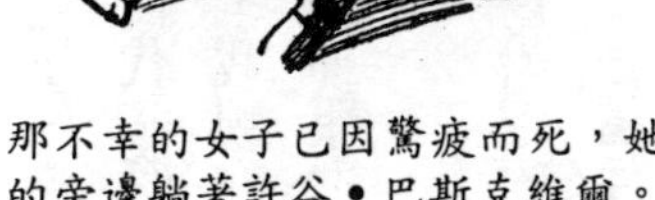

那不幸的女子已因驚疲而死，她的旁邊躺著許谷•巴斯克維爾。

我的兒子們，這就是那隻怪獵狗的故事。從那時候起，我們的家族常受這怪犬的災禍。我所以把這故事寫錄下來，就因你們若能完全明白這一件事，會比只得到片段的傳說，或憑空的猜想減少些恐怖。我們家族之中，不可諱言，確有好幾個人遭受突然的流血慘禍或神秘死亡。現在我們蔽翼在上帝的仁愛之下，希望這萬能的神，不致於再降罰在三、四代子孫及之後無罪的人的身上。我的兒子們，我現在憑著神的名義告誡你們：在黑夜惡勢力伸張的時候，切不可經過曠地。

（這篇文字是蕭戈・巴斯克維爾給他的兒子羅傑和約翰的，並吩咐他們，不要把這件事告訴他們的妹妹伊莉莎白）。」

毛廸麥醫生讀完了這一篇奇怪的訓誡式故事，便把他的眼鏡推到額角上面，張目瞧著歇洛克・福爾摩斯。福爾摩斯打了一個呵欠，把他的煙蒂丟在火中，說道：「怎樣？」毛廸麥道：「你對這篇文字有興趣嗎？」

福爾摩斯道：「這種東西，只有那收集童話資料的人，才會發生興趣。」

毛廸麥醫生又從袋中拿出一張摺小的報紙來。

他道：「福爾摩斯先生，此刻我們可以談到這一件事了。這是一份今年六月十四日的德文郡公報，報中記載一節關於查爾斯・巴斯克維爾爵士的死亡消息。那事發生在這報紙日期的前幾天。」

我的朋友略略地把身子傾向前，臉上露出專注的表情。我們來客把眼鏡重新戴好，就朗聲念那則新聞：

「查爾斯・巴斯克維爾爵士最近暴死，德文郡的人們同深驚悼。爵士本是下次選舉代表『自由黨』的候選人，他在巴斯克維爾宅邸雖然沒有住多久，但他和藹慷慨的舉止，已使那些曾和他接觸過的人產生好感和崇敬。巴斯克維爾一族，是本郡的舊世族，原本因為遭遇不幸而致中落，後來又憑著後嗣的努力，掙得了巨產，才重新把那衰敗的名望恢復過來。據外面傳說，查爾斯爵士是在南非做投機事業發財的。他比那些發財後見好不收，太貪心導致失敗喪資的人聰明，爵士在得利以後，就攜資回到英國。他到巴斯克維爾宅邸只有兩年，他偉大的改建計劃，卻要因他的暴斃而停止了。因他沒有後嗣，故而他曾明白宣示他的志願——他在有生之日，必將巨大的產業讓全郡的人們都能分享。因此，有好多人都痛惜他的暴斃。至於他對於本郡的善舉，和種種慷慨的舉動，本報皆已屢次報導了。關於查爾斯爵士的死，就查驗所得，雖不能說已經把案情完全查明，但至少可以讓當地的一種迷信的謠言，有了處置的方法。這事實在沒有謀殺的嫌疑，並且除了自然死亡以外，也決不可能有什麼神祕的原因。爵士是一個鰥夫，在某些舉動上似有些古怪的習慣。他雖有很大的產業，個人的生活卻很簡單。他爵邸裡的僕人只有白瑞莫夫婦二人。男的是總管，女的是管家婦。這兩個僕人和爵士的幾個朋友，都說爵士的身體長久以來都不是很健康，似乎他患的是心臟方面的疾病。他常常氣色不好，呼吸急促，有嚴重的神經衰弱。爵士的醫生和朋友詹姆士．毛廸麥對於這一點也有同樣的看法。整件案子的過程是很簡單的，查爾斯．巴斯克維爾爵士有一個習慣，每夜臨睡以前，總要在爵邸中的松徑裡走一回。六月四日那天，爵士曾說次日要動身前往倫敦，故而吩咐白瑞莫整理他的行李。那天晚上，他照樣出去散步，在散步的時候，他總要吸一根雪茄的。可是他這一去竟沒有回來。到了半夜十二點鐘，白瑞莫見大廳的門仍舊開著，不由得吃了一驚，於是就點了一盞燈，走出去找他的主人。那晚下過雨，所以很容易瞧見爵士的腳印是向松徑那裡去的。在這條松徑的中段，一邊有一扇門通向曠地上去。那裡有一些跡象顯示查爾斯爵士曾在那裡停留過一會兒。後來白瑞莫繼續循著那松徑前進，到了松徑的盡端，便發現了爵士的屍體。但這其中有一點無法解釋，據白瑞莫說，他主人的足印過了那通往曠地的門以後，形狀卻忽然不同。都是足尖著地。有一個販馬的吉普賽人，名叫墨非，那時恰在距離曠地不遠的地方。據墨非說，他那時醉得厲害，似曾聽到呼叫的聲音，但他不知道那聲音從那一面來。爵士死後身上並沒有暴力襲擊的痕跡，但他的臉部歪曲變形，竟使毛廸麥博士見了以後，不相信就是爵士本人。據後來證明，這種樣子大半是呼吸困難，或心臟衰竭的結果。在醫學上並不算罕見。後來驗屍的結果，和醫生的見解相符，便確定了上述的解釋。傳說既然這樣，那當然不致再有什麼疑問。現在最重要的，就是希望查爾斯爵士的後嗣仍能繼續住在這宅爵邸，並繼續老爵士的慈善工作。因此，假使驗屍官不把這案子引起的謠傳消滅，那麼，謠言四起，巴斯克維爾爵邸也許難找到居住的人了。據聞查爾斯爵士最近的親族就是他弟弟的兒子，名叫亨利・巴斯克維爾。這少年先前聽說在美洲，現在大家已設法找到他，以便通知他繼承遺產的消息。」

毛廸麥醫生讀完，重新將報紙摺好，依舊放回口袋。

他道：「福爾摩斯先生，這就是外界所傳查爾斯・巴斯克維爾爵士的死因。」

歐洛克・福爾摩斯道：「你拿這一件有趣的案子來賜教，我眞應當謝謝你，當時我在報紙上也曾見過這一節新聞。但我因受了羅馬教皇的囑託，忙著偵查那件梵蒂岡寶玉案，竟錯過英國的幾件有趣案子，這一節記載，可是外邊所傳的事實中最詳盡的？」「正是。」

「那麼，請你把其他隱藏的事實也告訴我吧！」他說完，又靠在椅背，指尖交抵著，顯出一種法官審判時的冷漠態度。

毛廸麥醫生忽露嚴肅的神態，說道：「我現在告訴你的話，還不曾和任何人提起。當驗屍官詢究的時候我沒有說出，就是因爲我是一個有科學智識的人，實不願意讓人知道我對於流傳中的迷信，竟也會讓相信。還有一個緣故，就像報上所說，巴斯克維爾爵邸的名譽已很不好，萬一再增加什麼的話，那就再也沒有人敢住了。因爲這兩個緣故，我就決定不將我所知道的事情完全說出，因爲說出了對現況也沒有好處的。但我對於先生們卻是另當別論，我現在已決定把我所知道的完全說明白。那爵邸外面的一大塊曠地，本來就很少有居民，所以那些住在靠近曠地的居民，就彼此往來很密切。因此之故，我也時常和查爾斯・巴斯克維爾爵士見面。那裡除了藍富特莊園的佛蘭加先生和生物學家史台柏先生以外，數英哩中，已沒有別的受過教育的人。查爾斯爵士是一個退休閒居的人，因爲他的身體不好，不適合外出，所以我們便常在他那裡與他碰面。而我們這幾個人又都喜歡研究科學——這也是我們結合的原因之一。他從南非帶回了許多關於科學上的資料，所以我們常在天氣好的晚上，談論布斯人和豪騰系人的比較解剖學。事情發生的數月前，我覺得查爾斯爵士的神經衰弱更嚴重了，好像快要崩潰的樣子。他對於我剛才讀給你聽的那篇銘誡，似乎非常相信。所以他雖然常在他自己的爵邸內散步，但在晚上的時候，誰也勸不動他離開爵邸，往那曠地上去。福爾摩斯先生，你聽了也許不會相信，但爵士的確常惴惴於有什麼厄運要降臨到他的家族，並覺得那祖先所傳的記載，實不足以安慰和解釋他心中常留的恐懼。他曾好幾次問我，我在晚上出診的時候，是否曾瞧見過什麼奇怪的東西，或聽過獵狗的嘷叫。這樣的問題他不知問過幾次，並且每次的聲調都是顫抖而帶著驚慌的。在他暴斃的三星期以前，我記得有一夜乘車到他的爵邸，他正站在他的大廳門口。我從馬車上跳了下來，站在他的面前，忽見他眼光正向我的肩後瞧去，露出一種恐怖的表情。我也回過頭去，一瞥之間，瞧見一樣東西，好像是一隻大的黑牛，在馬路的那端經過。那時他驚恐極了，所以我特地走到那野獸顯現的地方，向四週瞧尋，那東西竟不見了。但因這一事，竟使他的腦海中又印下一重更害怕的印象，那晚我和他談了很久。就在這時，他才把他害怕的緣由說給我聽。他告訴我他的驚悸來自於我先前讀給你聽的故事。這樣的事本是無足輕重的，不過因為後來的慘劇，卻不能不連帶想起有什麼關係。但在當時，我覺得這種事全無注意的價値，他的驚慌實在毫無理由。查爾斯爵士後來打算往倫敦去，就是聽了我的建議。他既已受了刺激，雖然那刺激的理由空幻無據，但他若常在憂鬱中生活，將會嚴重影響他的健康。所以我想他如果能過數月的城市生活，那一定可使他回復健康。史台柏先生是他的知己朋友，他對於爵士的健康，也和我有同樣的見解。誰知在他將要動身的前一天，那恐怖的事情竟發生了。

在查爾斯爵士暴斃的那夜，總管白瑞莫發現了爵士的屍體以後，便打發一個名叫潘根斯的馬夫來叫我。我那時還沒有睡，就在一小時內趕到巴斯克維爾爵邸，並把一切的情形記了下來，後來在驗屍時當衆發表。當時我依著爵士的足跡，沿松徑前進。到了那通往曠地的門口，果見爵士在那裡待過的跡象，但經過了門以後，那腳印的形狀忽然改變。我細瞧沒有其他腳印，只有白瑞莫的腳印留在軟徑上非常清晰。我到了屍體旁邊，仔細察驗，見屍體還沒有人觸動過。他覆臥在地上，兩臂張開，手指都陷在地上。他的臉似因爲受了極大的刺激，扭曲變形，一時竟使我認不出他。他身體並沒有什麼外傷。但白瑞莫在驗屍的時候說的話並不是眞的，他說在屍體的周圍並沒有任何足跡。這是因他沒有瞧見，我卻清楚地瞧見。我見距離那屍體不遠，有一個鮮明清晰的跡印。」

福爾摩斯問道：「是腳印嗎？」「正是腳印。」「男子的，還是女子的？」

毛廸麥醫生向我們很奇異地瞧了一會兒，才用一種極細微的聲音回答道：「福爾摩斯先生，那是一種大獵狗的腳印！」

第三章　疑案

老實說，這一句話不由得使我震了一震。那醫生的聲音顫抖，顯然他對於所說的話，內心也非常激動。福爾摩斯把身子向前傾，露出驚訝的表情，他嚴肅的眼光，非常專注。

他問道：「你瞧清楚這足跡嗎？」毛廸麥醫生答道：「我瞧得清清楚楚。」「但你後來並不曾提過這事？」「是，說出來有什麼用呢？」「為什麼其他的人沒有瞧見呢？」「那印子離屍體約有二十碼的距離，因此其他人都沒有注意到。假使我不曾知道那古老的故事，當然也不會瞧到那裡去的。」「曠地上不是有許多牧羊犬嗎？」「正是，但這並不是牧羊犬的足印。」「你說那印子很大？」「大得很。」「但那印子並沒有接近屍體？」「沒有。」「那一夜的天氣怎樣？」「陰沈而潮濕。」「有沒有下雨？」「沒有。」「那松徑的地形是怎樣呢？」「那裡有兩排交列的老松，約有十二呎高，種得很密。那兩排松樹的中間，就是一條通路，約有八呎寬。」「在那松樹和通路之間，可還有什麼東西？」「有，那通道的兩旁都有草地，每一邊有六呎寬。」「松樹雖然種得很密，人不能通過，但我聽你說松徑中段的一邊，有隔著一扇門。是不是？」「是的，有一扇便門從爵邸通向曠地去的。」「以外可還有別的出口？」「沒有了。」「這樣的話，凡是有人要往松徑裡去，除非從爵邸裡出來，否則就必須從曠地的門口進來。對嗎？」「那裡還有一扇門，在一座涼亭的後面。」「查爾斯爵士可曾到這亭子裡去？」「沒有。他的屍體躺在離亭子五十碼外。」

福爾摩斯道：「毛廸麥醫生，現在請你告訴我一個要點。你所瞧見的足印，是在中央的通道上？還是在通道兩旁的草地上呢？」「草地上是不會露出腳印的。」「那麼，這印子就是在通道靠近曠地門的一邊？」「正是，那印子就在靠近曠地門的一邊。」「你的話眞令我有所感觸。還有一點，那門關著嗎？」「關著的，並且上了閂。」「這門有多高？」「約有四呎。」「那麼，任何人都能夠越門而過？」「可以的。」「那麼，近門的地方，你可曾見有什麼痕跡？」「沒有特殊的痕跡。」「天啊！沒有一個人在那裡察驗過嗎？」「我在那裡察驗過的。」「你沒有任何發現嗎？」「那裡的足印很亂，查爾斯爵士曾在那裡站過五分鐘或十分鐘之久。」「你怎麼知道的？」「因爲那裡有兩小堆雪茄煙灰，那煙灰似乎從他的雪茄上墜下了兩次。」「太棒了！華生，我們多得了一個同志。但那印子究竟是怎樣？」「我見那沙泥的通徑上有重疊的足印，卻都是爵士自己的。我不見有別人的足印。」

歇洛克・福爾摩斯用手敲著他的膝蓋，顯出不耐的樣子。

他大聲道：「唉，可惜我當時不在場！這分明是一件非比尋常的案子，並且可以提供給科學的偵探家絕佳的機會。在那一塊沙泥地上，我一定可以瞧出端倪。現在卻下過了雨，又被鄉人們的足印所亂，已完全毀壞了。唉，毛廸麥博士，你當時沒有請我去，這損失你實在應當負責。」

毛廸麥醫生道：「福爾摩斯先生，那時我實在不能請你來。如果請了你去，這些事勢必要被宣布出來。但剛才我已說過，這當中有兩種理由讓我不願意宣布出來。除此之外，並且……」福爾摩斯道：「你爲什麼疑遲不說？」「我以爲這種情況，即使是最敏銳而幹練的偵探，也沒有用的。」「你可是說這件事是屬於鬼靈範圍？」「我並不曾說這樣的話呀！」「你雖然沒有說，但你的意思明明如此。」「福爾摩斯先生，我因爲這一次的慘劇，又聽過好幾件傳說。假使去推究那事的情由，竟似不能和自然界的現象法則符合。」

福爾摩斯道：「你可舉一個例子嗎？」「我聽說在這慘劇發生以前，有好幾個人，曾在曠地上瞧見一種奇怪的東西。那東西的形狀，正像巴斯克維爾傳說中的怪物，根本不像科學上所知道的任何動物。他們說那是一種可怕又會發光的龐然大物。我曾仔細詢問這幾個目睹的人，其中一個是強悍的鄉人，一個是獸醫，還有一個是曠地上的農夫。他們異口同聲地說出那可怕東西的模樣，和那奇怪故事中的妖狗形狀完全相同。我老實告訴你，這一塊曠地此刻已成了恐怖區域，除非是膽大的人，否則沒有人敢在夜間從曠地上經過。我想這些人的話，也決不是由幻像發生的囈語。」「那麼，你是一個有科學訓練的人，難道也相信那果眞是超自然的鬼怪嗎？」「我實在不知道應相信什麼。」

福爾摩斯聳著他的兩肩，說道：「自從執行我的偵探事務以來，凡是我所偵查的，都是限於這眞實的物質世界的事。我自問我和惡勢力交戰，僥倖還沒有失敗；但若叫我和魔鬼交戰，那我卻還沒有這種經驗。你既說這東西近乎鬼怪，卻又說你曾親眼看到那足印，可見它分明就是有形的物體。」

「那怪犬會嚙噬一個人的咽喉，所以可說

是——物體，但它後來卻成了妖魔。」

「我覺得你現在已變成超自然靈學的信徒了。既然如此，你爲什麼又要到我這裡來求助呢?你剛才既說若要偵查查爾斯爵士的死因，無論是誰都是沒有用的，可是你現在卻又要我擔任這一件事。」「我不曾說要你擔任偵查的事。」「那麼，有什麼見教呢?」

毛廸麥醫生答道：「我所要請教你的，就是亨利·巴斯克維爾爵士將要到滑鐵盧車站了，我應怎樣對待他。」說時，他取出錶來瞧了一瞧，又道：「還有一小時十五分，他就要到了。」

福爾摩斯聽了，略一停頓，反問道：「這亨利·巴斯克維爾就是應襲的嗣子?」

「正是，在查爾斯爵士死後，我們打聽到這個少年的蹤跡，知道他在加拿大務農。據我們探聽的報告，他是一個品行端正的人。我現在不是以醫生的身份說話了，我是查爾斯遺囑的委託和執行人啊!」

「我想，除了亨利以外，不會有別的繼承人吧?」

「沒有了。我們曾探聽他另外還有一個親族，名叫洛傑·巴斯克維爾，是查爾斯的小弟。他們有兄弟三個，查爾斯最大，中間一個早死，那就是現在來繼承的亨利的父親;第三個洛傑是三兄弟中最壞的一人。他似乎秉著老巴斯克維爾的血統，據好多人告訴我，他的面貌和許谷的容貌最像。他在英國鬧得不能立足，逃到中美洲去了，一八七六年間，得了黃熱病而死。所以亨利實在是巴斯克維爾家族的惟一宗支了。現在還有一小時零五分鐘，我就要去滑鐵盧車站接他。今天早晨我接到電報，說他已到福爾摩斯尋思了一會兒，答道：「你的意思我明白了。你認為現在有一種鬼怪的勢力，足使巴斯克維爾的後嗣不能安居在爵邸之中。這可是你的想法？」

毛廸麥道：「我認為就事實上看來，至少可以說這一點是有可能的。」

「不錯。但如果你那超自然的假設果眞確實，那麼，這魔鬼的勢力，既能在德文郡中加害這個少年，在倫敦當然也一樣可以作祟。你想一個怪物的勢力，若和牧師教區一樣有地域範圍，那實在太不可思議了。」

「福爾摩斯先生，你處置這一件事似乎太粗心些了。假使你在這件事上有親身的經歷，那麼你的見解也必和眼前的不同了。我已明白你的意思，你認為這少年住在德文郡中可以像住在倫敦一般平安。現在還有五十分鐘他就要到了桑生登埠。福爾摩斯先生，你認為我見了他以後，應當和他說些什麼話呢？」

福爾摩斯道：「你除了帶他往他伯父的爵邸裡去，還要做什麼事呢？」

「那是沒錯。論情，他自然應住進爵邸裡去。但只要一想到那爵邸中的主人已一再遇到這樣的慘禍，未免使我躊躇起來。我確信查爾斯爵士如果在未死以前，能夠和我說幾句話，他一定會告誡我不要讓這老家族的最後一支住進那可怕的爵邸裡去。但換一個角度說，這枯瘠的鄉村，若希望富裕和進步，這爵邸實在需要有一個新主人來。因為假使爵邸中沒有繼續住居的人，查爾斯爵士以前在村中所做的種種善舉，勢必要完全停擺，那對於村子的影響實在很大。我因這兩種理由，自己不能解決，所以特地來請求你的見教。」

來了。你認爲我應該如何做呢？」

「先生，我建議你雇一部馬車，帶著你的狗——這狗正在那裡抓著我的前門——一同往滑鐵盧車站去迎接那位亨利．巴斯克維爾爵士。」

毛廸麥道：「我見了他後，又該怎麼樣呢？」「你先不必說起這一件事，等我決定以後再說。」「你須多少時間，才能決定呢？」「二十四個鐘頭就夠了。毛廸麥博士，明天早晨十點鐘，我希望你能夠再到這裡來見我。假使你能帶著亨利．巴斯克維爾爵士一塊兒來，那對於我未來的計劃，自然更有助益了。」「福爾摩斯先生，我一定遵辦。」

毛廸麥說著，便用鉛筆在他襯衫的袖口上，把約會的時間寫下，接著就很粗心地匆匆走出。福爾摩斯見他走到樓梯口，忽然像想起什麼似的，又叫住他。

他問道：「毛廸麥醫生，還有一句話問你。你不是說在查爾斯．巴斯克維爾爵士暴斃以前，曾有幾個人在曠地上見過那怪物？」毛廸麥道：「正是，有三個人瞧見的。」「但在命案以後，可還有人見過嗎？」「那卻不曾聽過了。」「多謝你，再見。」

福爾摩斯回到他的座位上時，臉上露出一種沈思的表情，似表示他心中已感到有重大的問題在他面前。他問我道：「華生，你要出去嗎？」

我答道：「是啊，但你若需要我幫助，那也可以不出去的。」

「不，我的老友，我必須等到實際活動的時候，方才需要你的助力。這件事有好幾點眞是很奇特的。你出去時若經過孛拉特的煙舖，叫他送一磅最烈的板煙來，可以嗎？謝謝你。你假使能夠等到晚上才回來，那更好。那時我便可以把我對於這案件的疑點，和你仔細討論了。」

我知道我的朋友在靜心思索的當兒，常需要一個靜寂孤獨的環境，以便他凝神一志，把所得的消息權衡輕重，構成種種的假設，然後再互相比較，決定那幾點是重要而有可能性的，那幾種是和事實不切合的。因爲這樣，那一天我就在我的俱樂部中消磨，黃昏以前，不曾回到貝克街。直到了晚上九點，我方才走進起居室中。

我開門進去的第一個反應，幾乎要以爲屋中已失火了。因爲室中充滿了煙霧，桌上檯燈的燈光被煙霧所籠罩，已模糊不明。當我走了進去，我的恐懼便立刻消失。我知道那煙氣完全是從板煙上燒出來的。那煙味竄進我的喉嚨，竟讓我咳嗽起來。我從那煙障迷霧中瞧見福爾摩斯隱約的身影。他穿著便服，蜷伏在一張扶手椅中，嘴裡啣著那個黑色的煙斗，他的四周亂放著好幾卷紙。

他先開口道：「華生，感冒了嗎？」我道：「不是，不是。我咳嗽是因爲這空氣的緣故。」「唉，你說得對。我想室中的煙霧一定很濃厚了。」「濃厚！簡直令人受不了哩！」「那麼，你開窗吧。我想你今天一定是在你的俱樂部裡消磨的。」「啊，福爾摩斯！」「我的話對嗎？」「對的，但你怎麼……」

他見了我驚異的神氣，忽然大笑道：「華生，你在這一點上也覺得詫異，實在令我覺得好笑。試想一個人在大雨泥濘的一天出外，晚上回來時，他的帽子和皮靴仍舊光澤可鑑，可見他一定終日停留在什麼地方。他是沒有知己朋友的，那麼，你想他在什麼地方逗留呢？這不是很明顯的嗎？」我道：「不錯，那的確是很明顯的。」

「這世界上充滿著明顯明的事物，只是沒有人注意觀察。你想我到那裡去過呢？」我道：「你也和我一樣，停留在一個地方。」「不對，我已到過德文郡去。」「可是你神遊的嗎？」「不錯，我的身體始終在這一張安樂椅中。我已喝盡了兩大壺咖啡，和吸完了大量的板煙。你出去以後，我差人買了一張曠地的分區地圖。於是我的精神便終日在這地圖上盪漾往來。我深喜我竟能在地圖上找到線索。」

「這地圖不大嗎？」

「大得很。」他說著，取起地圖，捲開了一部分，放在他的膝上。他又道：「這就是關於我們案子的部分。中央的這點，就是巴斯克維爾爵邸。」

「那爵邸四周有樹林嗎？」

「正是，這圖上雖然沒有注明，我想那松徑一定是沿著曠地的這一邊伸展的。你瞧，就在這爵邸的右邊。至於那一簇屋子，就是葛林本村，我們這位毛廸麥醫生就住在這裡。你瞧，這五英哩圓徑之內，屋子是很稀少的。這一宅是毛廸麥所說起的藍富特莊園，還有那宅屋子，就是那生物學家史台柏的住宅。此外在曠地上還有兩宅農舍，一宅叫哈艾特，一宅叫富爾宓。除此之外，十四英哩以外的地方，就是王子鎮的大監獄。在這監獄和爵邸的中間，就橫著那片寂寞無生氣的達特曠地。換句話說，這就是那一齣悲劇的舞臺，我們現在設法重演這一齣戲。」

我道：「這地方實在很荒涼。」「不錯，這種環境實在很難找。假使那魔鬼要伸手害人，那麼，這地方……」

我接嘴道：「那麼，你也相信超自然的鬼靈？」

福爾摩斯微笑道：「我認爲那魔鬼也許一樣是有血肉的。現在我們有兩個疑問：第一，這裡面是否已有犯罪的事實？第二，這究竟是什麼罪，並且怎樣犯下的？假使毛廸麥醫生的料想沒錯。對方若眞是一種超自然的鬼靈，那麼，我們當然沒法可施的。但我們在承認這一種假設以前，必須盡力推索其它方面的假設。等到各種假設都不能成立，才能承認果是鬼靈。你假使不反對，請你把窗重新關了。這樣做雖然有點奇怪，我卻常覺得濃厚的空氣，可以幫助人的思想集中。我雖然還沒有到必須躲在箱子裡思考的程度，但這種閉窗的習慣，竟已成了我思考時的必須條件。你對於這件案子，可曾下過功夫推索？」

我道：「想過的。今天一天我差不多都繫念著這個問題。」「那麼，你的意見如何？」「這事很奇詭。」「沒錯，但這裡面也有幾點特殊的地方。例如：那足印的前後改變，你認爲是爲什麼呢？」我道：「毛廸麥說，爵士在松徑的另一段上，是以腳尖走路的。」「這句話毫無意思，他只是複述那些傻子的見解。你想一個人爲什麼用腳尖在松徑上走呢？」我道：「你以爲呢？」「華生，這一定是他奔跑的痕跡。那時他必拚命地狂奔，直奔到他心臟迸裂，才撲地而死。」我道：「他爲什麼奔逃呢？」他道：「這就是我們要解決的問題了。據我想來，他在狂奔以前，應已嚇得發瘋了。」「何以見得？」

「我認爲他恐懼的原因，大概是從曠地那邊來的。因爲只有那驚亂發瘋的人才會不逃向屋子裡去，卻背向著屋子逃走。假使那吉普賽人的證語確實，他那時必連聲呼救，同時反向朝無人救助的地方奔逃。此外我們又有一個問題，他那夜到底在等什麼人呢？並且他爲什麼不在他自己的屋中等待，卻在那松徑中等呢？」我道：「你想他在那裡等什麼人呢？」「爵士是一個年長且神經衰弱的人。我們知道他每夜要在松徑裡散步的，但那夜風大且地上潮濕。據毛廸麥醫生從雪茄煙灰上所得的證跡顯示，爵士曾在那裡站過五到十分鐘。你想，在這樣的天氣，他竟能在那裡逗留如此之久，這可是尋常的舉動？」「但我們知道他每夜要出去散步的。」他道：「話是沒錯，但我不信他每夜要站在往曠地的門口。不但如此，事實上，他夜裡是不敢往曠地上去的，可是這一天夜裡，他卻在那裡等，並且這一夜，又是他將要往倫敦去的前一夜。華生，你想一想，這裡面的確大有問題。現在請你把提琴拿給我，我們暫且擱置這一件事，等到明天，我們會見了毛廸麥醫生和亨利・巴斯克維爾爵士以後，再繼續進行吧！」

第四章　亨利・巴斯克維爾的故事

第二天早晨，我們很早就吃完早餐。福爾摩斯穿上了一件便服，靜待我們來客的約會。我們的委託人果眞很守時，時鐘方敲八下，毛廸麥醫生已同那年輕男爵進來。男爵身材不是很高大，雄健而敏捷，年紀約三十歲，眼珠黑色，眉毛也濃黑。他的表情看似堅強而和善。他穿著一身暗紅色的絨衣，皮膚也露出飽經風霜的樣子，看起來大半的生活都似消磨在戶外。

亨利・巴斯克維爾爵士

但從他沈著的眼光，和溫靜的態度上看來，足見他是一個上流紳士。

毛廸麥醫生介紹道：「這就是亨利・巴斯克維爾爵士。」

爵士道：「啊，歇洛克・福爾摩斯先生，這實在是很奇怪的。假使我的這位朋友不邀我一塊兒到這裡來，今天早晨我自己也會來見你。我知道你善於研究大小疑問的。今天早上我遇到一個難題，我盡我思索的能力，還是解釋不出。」

福爾摩斯道：「亨利爵士，請坐。你是說，你自從到了倫敦以後，遇到了什麼奇怪的事嗎？」

亨利爵士道：「正是，福爾摩斯先生，但

不見得怎樣重要，反而像是開玩笑的舉動。就是這一封信，我在今天早晨接到的。」

他取出一個信封，放在桌上，我們大家都聚集過來看。那是一個尋常紙質的信封，顏色帶點灰色。信封上寫著：「拿森侖旅館，亨利·巴斯克維爾爵士收。」字跡很潦草，郵局的戳印是查林格洛斯，發信的日期就是昨夜。

福爾摩斯很敏銳地瞧著我們的來客，問道：「有誰知道你要住在拿森侖旅館？」

「這事應該沒有人可以知道的。我在遇見毛廸麥醫生以後方才決定的。」

「但毛廸麥醫生大概已先在那裡住過了。」

那醫生忙道：「沒有，我起先住在朋友那裡。我們決定住這旅館，事前並沒有任何的表示。」

福爾摩斯驚異地道：「啊！這樣，可見一定有什麼人，對於你的舉動非常注意。」他一邊說，一邊從信封取出半張全頁的紙來。他將紙展開了鋪在桌上。紙上有一句話是用印成的字剪貼而成的。那句話是：「你如果珍惜你的性命，或是還有理性，應避開那曠地。」那最後「曠地」的字樣，卻是用墨水寫的。

亨利·巴斯克維爾爵士道：「福爾摩斯先生，現在你也許能夠告訴我。這究竟有什麼含意？並且有什麼人會如此注意我的事情呢？」

福爾摩斯道：「毛廸麥醫生，你認爲呢？你此刻終應承認，無論如何，這一封信總不見得是鬼靈寫給你的吧？」

毛廸麥道：「先生，當然不是。但這封信的由來，一定是出於什麼知道這鬼靈故事的人的。」

亨利爵士急忙問道：「什麼故事呀？我覺

得你們幾位對於我家的事情比我自己所知道的更多。這是什麼意思呢？」

歇洛克．福爾摩斯道：「亨利爵士，我向你保證，你從這裡出去以前，一定可以知道我們所已知的一切事情。我們現在且先專注在這一封有趣的信上。這信分明是昨天晚上封好寄出的。華生，你可有昨天的泰晤士報嗎？」我道：「就在那牆角裡。」

福爾摩斯道：「你能幫我取過來嗎？請你翻開，把那重要的評論拿給我。」他接過了報紙，敏捷的眼光在那報紙上上下下往來。他又道：「這一天的重要評論，是說『自由貿易』。我姑且讀一節出來：『你也許聽信了那甜言蜜語，認爲要使商業或工業發達，必須採用保護稅率。其實從長遠看來，這種法律施行日久，反必使本國遠離富庶，減低我們進口貨的價值，且降低本國一切生活的水準。』華生，你認爲怎樣？你不覺得這是一種很有心思的舉動嗎？」說時他搓著兩手，表示很滿意的樣子。

毛廸麥醫生用他職業的眼光，瞧著福爾摩斯，亨利．巴斯克維爾爵士卻瞧著我，兀自詫異。

他道：「我對於稅率一類的事情並不知道。現在我們忽然談到這個問題上去，不是和這封信的疑問距離太遠了嗎？」

福爾摩斯道：「亨利爵士，你的話恰好相反，我們現在就是在研究這個問題。我的老友華生，對於我的方法，當然更易明白。但我怕他在這一點上，也還沒有明瞭我的用意哩。」

我道：「我當眞不知道有什麼關係。」

「我親愛的華生，你聽我所讀的那節評論，有幾個特殊的字眼，是不是都和那奇怪的短信有關係?例如:『You(你)、Your(你的)、life(性命)、reason(理性)、value(珍視)、keep away(避開)』等字,不都是那信箋上剪貼的字?」

亨利爵士驚呼道:「啊,不錯。你確是很聰明的。」

毛廸麥醫生也以驚歎的眼光瞧著我的朋友,說道:「福爾摩斯先生,你這種本領,實在是出我意料之外。我知道任何人見了那信中的字,都知道是從報紙上剪下來的。但你卻能夠知道是什麼報紙,又知道從那一節文字裡來的,這卻是我所想不到的了。你究竟憑著什麼方法知道的呢?」

福爾摩斯道:「醫生,我料想你對於黑種人的頭顱,和愛斯基摩人的頭顱一定能夠區別出來的。是不是呢?」「那當然可以的。」

福爾摩斯道:「但你怎麼能夠區別呢?」「因爲這是我專門的研究。這兩種頭顱的不同點是很顯明的。那眉骨、顱頂、臉部的角度、顎骨的曲線,和……」

「不錯,不錯,這也是我的專門研究。我也覺得這不同之點是很明顯的。那泰晤士報的評論欄所用的鉛字,和那半辨士晚報上所用的鉛字,在我眼中確有顯著的不同。就像你見了黑種人和愛斯基摩人,能立刻指出不同點一般。犯罪學專家對於鉛字的區別,本來就是一種最基本的能力。不過我也承認,我在年少的時候,對於墨寇雷報,和西方晨報的鉛字,也是分別不出。但泰晤士報評論欄所用的鉛字,原就是很特殊的,一見便能知道。這封信既然是昨天發的,所以我就料想這也許就是昨天報上所用的字。」

亨利・巴斯克維爾爵士道：「福爾摩斯先生，我明白了。照你的意思，是有一個人用剪刀剪下了這幾個字……」

福爾摩斯改正他道：「是用一把剪指甲的小剪刀剪下來的。你瞧，那剪刀的刀鋒很短，所以『避開』二字，竟剪了兩刀。不是很明顯的嗎？」

「正是，那麼，我們可以說有一個人，用一把短鋒的剪刀，剪下了這幾個字，又用漿糊黏在……」

福爾摩斯又辯正道：「是膠水。」

「啊，用膠水黏在紙上。但我想知那『曠地』一字，爲什麼卻用墨水筆寫呢？」

「因爲這一個字，他在報紙上尋不到。別的字都很簡單而普通，隨便什麼報都可以找到，但『曠地』卻不是尋常的名詞啊！」

「這解釋當眞很合理的。福爾摩斯先生，除此以外，你在這封信上可還有其他的發現呢？」

「此外還有一兩處。那寫信的人，對於消滅線索一事，實在下過一番深切的功夫。你可以瞧見那姓名、地址的字跡，雖寫得非常潦草，但泰晤士報是受過高等教育的人所嗜閱的報紙，尋常人手中並不常見。因此，我們可以假定這封信是一個受過相當教育的人寫的，卻想裝成沒有受過教育的人寫的。你看他想竭力掩飾他的筆跡，也可見得他的筆跡是你所熟悉的，或是容易被你查明的。還有一點，那字黏貼的位置高低不勻，譬如『性命』二字，竟已黏出了格線，這一點可以假定那人的疏忽，或黏貼時有些驚慌而急促。我認爲這兩種假設，後一種比較切近。因爲這種事既然非常重要，那寄信的人決不敢輕忽。假使這果真是由於急促的緣故，那就產生了一個有趣的疑問。他爲什麼要如此急促呢？因爲在清早所發出的信，一定可以在亨利爵士離開旅館前投到，所以時間上實沒有急促的必要。那麼，他爲什麼如此？莫非怕什麼人撞見？他所怕的人又是誰呢？」

毛廸麥醫生道：「我們現在竟進入憑空猜想的境界了。」

福爾摩斯道：「我卻認爲我們正把各種可能的推想互相連結起來，選取那最近情理的。這就是科學地運用想像力。並且我們已有實質的根據，可以成爲我們推想的出發點。現在我有一種假說，你當然也許認爲是猜想，但我卻差不多敢斷定這信封上的姓名、地址是在旅館裡寫的。」

毛廸麥道：「你憑什麼斷定呢？」

福爾摩斯道：「你假使把這信仔細察驗一下，就可以察覺那寫字的筆和墨水，當時很讓那寫信的人苦惱，寫一個字，筆尖就分裂了兩次，而這簡短的地址，墨水竟乾了三次，可見那瓶中的墨水很少。假使是一枝私人的筆，或私人用的墨水瓶，勢不致有這樣的情況。破筆和將乾的墨水瓶加在一起，那更是少見了。故而這種樣子的筆和墨水瓶，只有在旅館裡可以瞧見。我現在敢說，假使我們能夠將查林格洛斯各旅館中的廢紙簍中逐一察驗，找到那張剪碎的泰晤士報，那麼，我們就可立刻把那寫信的人捉住了。咦？這是什麼？」

他忽把那黏貼報紙的信紙，拿到貼近他眼睛一二吋的距離，仔細察驗。

毛廸麥道：「怎麼了？」福爾摩斯隨手把信紙丟在桌上，答道：「沒有什麼。這是半張白紙，連水印都沒有。我想我們在這封奇怪的信上，已盡了我們的能力推索了。亨利爵士，你到了倫敦以後，可還有其他有趣的遭遇？」「福爾摩斯先生，沒有。」「你不曾見有什麼人尾隨或監視你嗎？」

爵士道：「奇怪，我此刻眞像走進了一部情節離奇的小說。請問爲什麼有人要尾隨或監視我呢？」福爾摩斯道：「我們就要說到這個問題了。但你在我們解釋這事以前，已沒有其他的事要告訴我們嗎？」「我不知道你認爲什麼事才值得報告。」「我想任何事情，凡出於尋常生活以外的，都値得報告。」

亨利爵士微笑答道：「我還不知道英國的生活情形是怎樣。因爲我大部分的時間，都生活在美洲和加拿大。但我想假使無緣無故丟了一隻靴子，在這裡也不見得能算是尋常生活裡應該有情形吧？」

福爾摩斯道：「你丟了一隻靴子？」毛廸麥醫生忽接口道：「我的好先生，那一定是誤放在什麼地方了。你回到旅館後，一定可以找到的。這種瑣碎的事，你怎麼也來煩勞福爾摩斯先生呢？」爵士道：「他叫我把出乎尋常的情形都說出來啊。」

福爾摩斯道：「沒錯，無論怎樣瑣碎，都有注意的價値。你不是說你掉了一隻靴子嗎？」

亨利爵士道：「正是，大概是誤放了。昨天晚上我把一雙靴子放在門外，今天早晨卻只剩下一隻。我曾向刷靴的人問過，卻問不出什麼。不過這靴子我昨天晚上才買的，沒有穿過，忽然掉了一隻，未免使人掃興。」

「你的靴子既沒有穿過，爲什麼放在門外叫人刷理呢？」

「那是一雙黃色的靴子，還沒有上油，所以我把它放在門外。」

「毛廸麥醫生陪我一同去購買了不少東西。你想我到爵邸，將過著紳士式的生活，那麼衣飾上當然不能像我在美國西部時那麼隨意。所以我在購買其他東西以後，又買了一雙黃色的皮靴，且花了六元。誰知我還沒有穿過，就被人偷去了一隻。」

歇洛克・福爾摩斯道：「若說只偷一隻皮靴，是沒有用的。我也和毛廸麥醫生的意見相同。這靴子不久大概就可以找到了。」

男爵堅決地道：「好了，現在我已把所知道的一切完全說明白了。你們也應實踐你們的允諾，把這裡面的詳細情由完全說給我聽。」

福爾摩斯道：「好，你的請求很近情理。毛廸麥醫生，我想還是你把昨天說給我們聽的故事，再重新說一遍吧！」

那醫生於是又從他衣袋中摸出那張紙來，照著昨天說給我們聽的故事演述一番。亨利・巴斯克維爾爵士斂神傾聽，不時發出驚訝的呼聲。

他聽完了那冗長的故事，說道：「照這樣的話，這一件報復性的怨仇，現在已輪到我來承襲了。這妖狗的故事，我在孩提時就聽過了，但我當時並不在意。至於伯父的死，我的腦子還是一片模糊，不知究竟是怎麼一回事。就連你們，似乎也沒有答案，這件事究竟要請警察解決呢？或是該去請教牧師呢？」毛廸麥醫生道：「就是啊！」

「現在看來，這一封寄給我的信，和這事也許是有關係的。」

毛廸麥醫生道：「寄信的人，對於曠地的

故事，似乎比我們更加明瞭。」

福爾摩斯道：「不錯，這個人並沒有惡意，因爲他是在警告你避去危險啊！」

亨利爵士道：「雖然如此，他們想把我嚇走，也許另有他們的用意。」

福爾摩斯道：「這當然也是可能的。毛廸麥醫生，我很感激你。你把這一件曲折有趣的案子介紹給我。亨利爵士，現在我們應急切解決的問題，就是你是否可以到巴斯克維爾爵邸裡去。」爵士道：「我爲什麼不可以去呢？」「那裡也許有危險。」「你說的危險，是指鬼靈？或者是個有血肉的人？」「這就是我們要設法偵查的問題。」

「無論如何，我心意已決。福爾摩斯先生，我不相信地獄中眞有鬼。世上沒有人可以阻止我往我祖先的舊屋裡去，這就是我最後的答案了。」他說到這裡，黑色的眉毛忽然緊蹙在一起，臉上也泛著紅暈，可見巴斯克維爾血統中剛烈的脾氣，至今還保留在這最後的子孫身上。他又道：「我此刻對於你們所說的話，還來不及深思熟慮。這實在是一件攸關生命的事情，要在一剎那間瞭解作決定，是辦不到的。我須自己靜思一下，才能決定。福爾摩斯先生，現在已十一點半了，我要回旅館裡去。你和華生醫生，兩點鐘時可以到我旅館裡一同進午餐嗎？到那時候，我也許對於這事有更清晰的見解了。」

福爾摩斯問我道：「華生，這時間你可方便？」我道：「我完全可以配合。」

福爾摩斯向爵士道：「那麼，我們準時叨擾。要不要幫你叫一輛馬車？」

亨利爵士道：「不必，我想步行。因爲這

一件事，讓我的精神非常煩躁。」

毛廸麥道：「也好，我可以陪你一塊兒走。」

爵士站起身來道：「那麼，我們兩點鐘準時見。早安！」

我們聽見那兩個來客的腳步聲，走下了樓梯，接著又聽到前門關閉的聲音。一刹那間，福爾摩斯已從閒怠的態度，一變為精神振作。

他催促道：「華生，快戴上帽子，換好你的靴子。越快越好！不要超過一分鐘！」他邊說邊奔到自己的臥房裡去，數秒內，已脫去了他的睡袍，換了一件短禮服。我們一塊兒奔下樓去，走到街上，毛廸麥醫生和巴斯克維爾爵士二人約在二百碼外，還可以望見他們向牛津街走去。

我道：「你可要我追上去叫住他們嗎？」

福爾摩斯道：「不要，不要。我親愛的華生，你若能耐性點，我很高興你和我同行。這樣晴朗的天氣，步行非常適意。我們那兩位朋友實在很聰明。」

他邊說邊加快腳步，走到和前面二人距離約一百碼的距離，方才漸緩，保持一定的距離。我們跟著他們經過了牛津街，又轉入攝政街時，我們那兩位朋友站一間店舖的窗前向裡面探望。福爾摩斯跟到那裡後，也照樣望了一望。他忽低呼了一聲，似表示滿意。接著，又盯著他們向前進行。這時我瞧見有一輛兩輪馬車，車中載著一個乘客。那馬車先前停留在街的對面，這時又緩緩地轉輪前進。

福爾摩斯忽低呼道：「華生，那就是我們要偵查的人！快上前！我們如果不能有任何其他的舉動，至少也應該仔細瞧他一瞧。」

我們走近那馬車的當兒，見車中坐著一個

華生，那就是我們要偵查的人。

濃髯滿面的人，兩隻犀利的眼睛，從車側裡瞧著我們。忽然車頂上的門打開了，那人向車夫說了幾句話，那馬車便飛也似地向攝政街的盡頭駛去。福爾摩斯急急向四週瞧視，卻沒有其他的空車可坐。於是他就朝車輛往來的街道，努力奔追上去，可是那馬車跑得非常迅速，瞬間便不知去向。

福爾摩斯追了一會兒，知已來不及，只得站住了喘息。我走近他時，他的臉色發白，非常惱怒。他生氣地道：「唉，錯過了！我們可曾有過這樣糟的運氣，和這樣狼狽的下場？華生！華生，如果你是一個誠實的人，你應該把我這事記錄下來，做爲我成功的反證！」

我問道：「這個人是誰？」他道：「我還不知道。」「是一個間諜嗎？」「從我們所聽得的事情中推想，自從亨利．巴斯克維爾到了倫敦以後，一定有什麼人悄悄地監視著他。否則，又怎能知道他寄寓在拿森侖旅館呢？因此，我料想第一天既然有人跟蹤著他，第二天他們當然照樣要監視的。你也許瞧見剛才毛勉麥宣讀那篇故事的時候，我曾兩次走近窗口。」我道：「正是，我記得的。」

他道：「我就是要瞧瞧下面的街上有沒有監視的人。但當時卻沒有瞧見，華生，由此可知我們的對手一定是一個伶俐的人。這件事實在很深祕。我此刻雖還不能確定這黑幕中的人究竟是善意或是惡意，但有一點我可確信，他們必是有勢力和計劃的。當我們的兩位主顧出來的時候，我急急跟著出來，就是希望瞧見尾隨的人，果不出所料。但那人狡獪得很，並非步行，而是雇了一部馬車。這樣，他要加速要緩，儘可隨意，又可避去那二人的注意。此外還有一種便利，假使他們倆雇車而行，他也可以立即尾隨的。不過這裡面也有一個小缺點。」

我道：「你意思是說他雇了馬車，他的祕密就會被那車夫知道了是嗎？」他道：「是啊！但是我們不曾注意那車子的號碼，眞是非常可惜。」

他道：「華生，我剛才雖然有點笨拙，但難道你認為我會連那車子的號碼都忽略嗎？我有瞧見的，那號碼是二七〇四。不過我們雖然知道，目前也沒有用處。」

「我覺得是因為這事的變化很快，你實在也沒法可施。」

「不，我實在是失算。我一見了那馬車以後，理應反身向後，悄悄地雇一輛空車，然後再遠遠地跟著前車，或者索性躲到拿森侖旅館去等待，那就更妥當了。等到那人跟著巴斯克維爾回到旅館，我們就可以其人之道，還治其人，在後面跟蹤他。不幸因為我太急切的緣故，反被我們的對手瞧破。他的行動又如此敏捷，我們就錯失了一個機會。」

我們一邊談話，一邊緩緩前進，已到了攝政街的盡頭。這時候毛廸麥醫生和他的同伴卻早已不見了。

福爾摩斯道：「此刻我們再也沒有尾隨他們的必要了。那監視的人既已逃去，勢必不會回來，我們只得希望未來能小心謹愼了。你可曾瞧清楚那車內的人的面孔？」我答道：「我只瞧見他的濃髯。」

他道：「我也是。據我料想，這鬍髯也許是假的。這樣一個聰明的人，又負著這重的任務，可見那鬍髯一定是爲掩飾他面貌用的。華生，請到這裡來。」他走進一家人力仲介公司，裡面的一個經理，很熱誠地歡迎他。

福爾摩斯道：「威爾遜，我想你對於我上次幫你辦妥的那件小小的案子，還沒有忘記吧？」

那名叫威爾遜的經理答道：「先生，當然沒有。你那時挽救了我的名譽，還救了我的性命。」福爾摩斯道：「好朋友，你說得太誇張。威爾遜，我記得你這裡有一個名叫卡立德的小孩子，他在偵查那件事時，顯過一回本領的。」「正是，他至今還在這裡。」「那麼，麻煩你叫他出來。多謝你，還要請你幫我把這一張五鎊的鈔票兌換成碎幣。」

有一個年約十四歲的孩子，眼神非常機靈，受了那經理的召喚，便出來見我的朋友，顯出一種很尊敬的樣子。

福爾摩斯道：「請把旅館指南給我瞧一瞧，謝謝你——卡立德，這裡有二十三家旅館的名字，都座落在查林格洛斯附近——你知道嗎？」「明白。」「這二十三家旅館，你須一一走到。」「知道了。」「你走到每一家旅館，便給那守門的人一個先令。這裡有二十三個先令。」「先生，好。」「你給了先令以後，向那守門的說，你要瞧瞧昨天從廢紙簍中倒出來的廢紙，你可說有一張緊要的電報送錯了人，因此要設法找尋。你懂嗎？」「先生，我都懂了。」「但你眞正的任務，是要從那廢紙中找出一張剪過的泰晤士報，就是這同樣的一頁。你可以辨別嗎？」「先生，能夠的。」

「你和那守門的說明了以後，他必會先去詢問裡面的侍役。你也可給那侍役一先令。這裡另有二十三個先令給你。我預料這二十三家旅館，昨天的廢紙，也許大部分已燒毀或丟掉了。但無論如何，至少有三、四家旅館的廢紙還保存著。你在這保存的廢紙中，應留心找尋這同頁的泰晤士報。你查見這紙的機會，可能很小，但你必須盡力。這裡還有一個先令，備臨時的急需。傍晚以前，就得發電報到貝克街，把你偵查的結果告訴我——華生，現在我們能夠著手的事情，就是打電報去探問那二七〇四號車夫的眞相，然後我們可往龐特街美術館裡去消遣一下，以便到兩點鐘時，到旅館裡去會巴斯克維爾。」

第五章 線索的中斷

歇洛克・福爾摩斯對於自由支配他的意念，原是很有本領的。他到了美術館以後，對於我們剛才經歷的怪事，竟像已完全忘懷。他的全部精神都注意在近代比利時名畫家的傑作上面。他絕口不談他事，只是品量藝術。直到我們離開美術館，到了拿森侖旅館的門口，方才把他欣賞美術的心收起來。

那旅館的職員迎接我們道：「亨利・巴斯克維爾在樓上等候。他吩咐我一見到你們，就請你們到樓上去。」

福爾摩斯道：「你可以讓我瞧瞧你們旅客名冊嗎？」職員道：「當然可以。」

那冊籍上登記了兩個旅客的姓名，是在巴斯克維爾到了以後的。一個叫約翰生和他的家眷，他們是從新堡來的，還有一個歐莫女士，和她的一個女僕，這兩個人是從歐頓州荷洛基鎭來的。

福爾摩斯問那職員道：「這個約翰生，想必就是我向來認識的人。他是個律師，頭髮灰白，走路時一腳跛著。是不是呢？」

「不是，先生，這一位約翰生先生是一個煤礦主人。人很活潑，年紀也不比你大。」

「你會不會弄錯了他的職業？」「先生，不會的。他時常在這旅館來往，已有好幾年了，因此我們對他很熟悉。」

「那麼，我誤會了。還有，這個歐莫女士，這名字我似乎也很熟悉。請你原諒我的好奇，因爲一個人訪問他的朋友，往往也可能遇見別的朋友，這是常有的。」

「這歐莫太太身體不太好，她的丈夫從前是葛羅斯特市的市長。她只要到倫敦，一定就住在這裡。」

「謝謝你。這樣說來，我也不見得認識她了。」說完，我們一同上樓。走到樓梯上時，他又低聲問我道：「華生，我剛才的問話，已得到了一個重要的證實。就是那位監視爵士和醫生二人的人，並不寄寓在這旅館之中。可見那人雖然很注意他們的蹤跡，卻不願意瞧見他們。從這一點上可以證明……」我道：「證明什麼呀？」他道：「證明——好朋友，什麼事呀？」

這時我們已走到樓梯口，忽見亨利·巴斯克維爾爵士正要走來，爵士滿臉怒容，手中拿著一隻佈滿灰塵的舊靴子。他因在盛怒下，說話時竟也失了矜持的態度。他的聲音大且帶著西部口音，和早晨與我們談話的樣子完全不同。

爵士手中拿著一隻佈滿灰塵的舊靴子。

他大聲道：「這旅館裡似乎有人在和我開玩笑！他們如果不小心點兒，那就要倒楣了。假使這個人不把我的靴子拿回來，我一定不干休。福爾摩斯先生，我並不是沒有幽默感，但他們這一次實在玩得太過分了。」福爾摩斯道：「你還在找你的靴子？」「正是，先生。我一定要找到的。」「但你說過的，你丟掉的那隻靴子，是一隻黃色的新靴啊！」「正是，先生。現在卻又丟掉了一隻黑色的舊靴！」「什麼。」「我一共有三雙靴子：一雙新的黃靴、一雙舊的黑靴，和腳上穿的一雙軟皮靴，昨夜他們偷了一隻黃靴去，今朝又偷了一隻黑的——喂，侍者，怎麼樣？你找到了嗎？快說出來，不要這樣子呆瞧啊！」

這時有一個德國侍役走來，滿面露著驚慌，訥訥然道：「先生，沒有，我已在這旅館中仔細問過一回，沒有一點消息。」

「好，在今天日落以前，假使不能把這靴子給我找回來，我就去見你們的經理，告訴他我要立即離開這旅館。」

那侍者仍顫慄著道：「先生，一定可找到的，我向你保證一定可以找到的。不過請你耐心點兒。」

爵士道：「好，你要記著。我此刻彷彿在賊窠之中，我不能再丟東西了。唉，福爾摩斯先生，請你原諒，我竟拿這樣的小事煩擾你。」

福爾摩斯道：「我覺得這件事很值得注意。你想這該怎樣解釋呢？」

亨利爵士道：「我實在不知道怎樣解釋。這實在是我經歷中最奇怪的一件事。」

福爾摩斯意味深長地道：「這真是非常奇怪的。」爵士道：「你的意見如何呢？」

「我還說不出什麼。亨利爵士，你這件案子實在複雜異常。我現在想到你伯父暴斃的事情，覺得那離奇難解的情節，比我歷來經手的五百多件重要案子還要深祕。但現在我們已得到了幾條線索，也許有一條可以引我們到光明。我們也許走上什麼錯路，虛廢些時間，但遲早一定可以到正路上去的。」

我們的午餐吃得很愉快，當中我們並沒談起那件奇事。等到飯後，我們就在一間起居室中閒坐。福爾摩斯才開口探問巴斯克維爾的想法。

亨利・巴斯克維爾爵士答道：「我已決定往巴斯克維爾爵邸去。」福爾摩斯道：「什麼時候去呢？」「在這周末。」

「大體的情形看來，我想你的決定是很聰明的。我現在已有了明確的證據，你在倫敦城中，已被人暗暗地監視著。在這數百萬人的大城裡，既難查悉這些是什麼人，也不容易知道他們有什麼目的。假使他們出於惡意，想要設法傷害你，我們也實在沒有能力阻止。毛廸麥醫生，想必你也不知道，當你們從我們寓裡出來的時候，你們有被人跟蹤吧？」

毛廸麥醫生直跳起來，驚道：「跟蹤？誰跟蹤我們？」

「這問題很不幸還不能回答。在你的曠地上的鄰居或朋友之中，可有一個有黑色濃髯的人？」

「沒有——且慢，讓我想想，有一個。查爾斯爵士的管家白瑞莫是一個有黑色濃髯的人。」

福爾摩斯驚喜地道：「哈，白瑞莫在那裡呢？」毛鐵麥醫生道：「他正在爵邸。」「我們應調查一下，他是否確實在那裡，或是他此刻也在倫敦呢！」「你要怎樣證實呢？」

「請給我一張電報紙單，單上只須寫：『亨利爵士將到，一切是否都已預備？』這兩句已夠了。就把這電報發給巴斯克維爾爵邸白瑞莫先生。什麼電報局和爵邸距離最近呢？格林朋子，各得五百鎊。」

「哈，他們事前可知道他們將得這樣的報酬嗎？」

「知道的，查爾斯爵士常喜歡把他遺囑中的事情說出來的。」

福爾摩斯微微點頭道：「這是很值得注意的。」

毛廸麥醫生不悅道：「福爾摩斯先生，我希望你不要對於每一個得到查爾斯爵士遺囑好處的人，都用懷疑的眼光看待。譬如，我也得到一千鎊啊！」福爾摩斯道：「當眞嗎？此外可還有別人得到呢？」「還有少數分派給幾個人，另有一筆巨款指定給公共的慈善機關，其餘的都歸給亨利爵士。」「其餘的有多少數目呢？」「有七十四萬鎊。」

福爾摩斯揚眉張目，詫異地道：「我不知嗎？很好，我們可另發一個電報，給格林朋電報局的局長。這電報可這樣寫：『發給白瑞莫的電報，須交給他本人。假使他不在，請發一個回電到拿森侖旅館——亨利·巴斯克維爾爵士』這樣，我們在黃昏以前，便可知道白瑞莫是否在爵邸裡了。」

巴斯克維爾爵士道：「毛廸麥醫生，這個白瑞莫是什麼樣的人？」

「他是老看門人的兒子，這老人現在已死了。他們已四代在爵邸服務，據我所知，他和他的妻子二人在鄉村中很受人敬重的。」

巴斯克維爾爵士道：「但假使爵邸中沒有主人住著，這兩個人自然覺得更淸閒而適意了。」「那是當然的。」

福爾摩斯答道：「查爾斯爵士的遺囑中，白瑞莫可有得什麼利益？」「有的，他和他的妻道竟有這樣大的數目。」

毛鐵麥醫生道：「查爾斯爵士素有富有之名，但我們在檢查他的遺囑以前，卻不知道他有錢到什麼地步。原來他遺產的總數幾乎有近一百萬鎊。」

「啊，這實在像一種下巨注的賭局，入局的人，自然要拚命相博了。毛廸麥醫生，還有一個問題。假使我們這位年輕朋友發生了什麼意外——請原諒我有這種不吉利的假設——那遺產應給什麼人繼承呢？」

毛廸麥醫生道：「如果這樣，查爾斯爵士的幼弟羅傑既是未娶而死，巴斯克維爾一姓，便無其他的子息。這遺產就應歸給一個遠房的表兄，詹姆士・泰司蒙。這泰司蒙年紀已大，在衛斯馬崙當牧師。」

福爾摩斯道：「謝謝你，這些事都是有關係的。但你可曾遇見過這位詹姆士・泰司蒙先生？」

毛廸麥道：「見過的，他曾來看過查爾斯爵士。他是一個正直和藹的人，他的生活也是很聖潔的。我記得查爾斯爵士要把某種東西贈給他，他堅拒不受。」

「那麼，這個淡泊生活的人，仍有繼承查爾斯爵士地產的權利嗎？」

「就法律的規定，他不但可以繼承爵邸，所有的巨款當然也應歸他繼承。不過眼前的主人假使要另立遺囑，他當然可照著他的意思分配，自然就另當別論了。」

福爾摩斯道：「那麼，亨利爵士，你可已立過遺囑了？」

爵士道：「福爾摩斯先生，還沒有，我還沒有工夫想到這一點，直到昨天才我知道這一回事。照我的意思，那錢財和地產不應分開，這也是我伯父的意思。假使爵邸的主人，沒有充足的錢財，又怎能恢復巴斯克維爾以前的榮譽呢？所以那些屋產、地產和錢，都應保存在一塊兒。」

福爾摩斯道：「不錯，現在我對於你決定往爵邸的想法很同意。我認為應立刻就去，不要耽擱。不過我還有一個想法，就是你不應單獨前去。」爵士道：「毛廸麥醫生將和我一同回去。」

「但毛廸麥醫生有他行醫的職務，他的寓處又和你相隔數哩。他雖然好意，於事實上卻不能幫助你。亨利爵士，你應另外請一個靠得住的人，以便隨時在你的左右。」

「福爾摩斯先生，你可願意和我一塊兒去嗎？」

「假使事情吃緊，我自然可以親自到場。你知道我的職務範圍非常廣，各處都有人來求教，因此我實在不能無限期地離開倫敦。況且眼前我還有一件案子，有一個在英國極受人尊敬的人被人恐嚇，我正要設法平息，不使蜚言流傳開來。你現在可以明白，我實在是不能分身往曠地去的。」

「那麼，你能推薦一個人給我嗎？」

福爾摩斯忽把他的手按在我的肩上，說道：「假使我的老友願意擔任這一件事，那麼，我覺得你在危急的時候，若要有人陪伴保護，實在沒有比他更適宜的人了。並且他是我的知己，萬事都可以信託的。」

這一個提議實在出我意料之外。但那巴斯克維爾不等我開口回答，便已走過來很懇切地握住我的手。

他道：「華生醫生，你的厚意，我眞感激。你現在已知道我的情形，也知道這事應怎樣應付。你若能陪我去，幫我解決這件事，我一輩子都會感激你的。」我對於冒險的任務，往往抱有一種嘗試的心，這時受到福爾摩斯的恭維，又見到巴斯克維爾爵士懇切地邀請，便立即應允前往。

我答道：「我很願意同往。我有這樣的機會，實在太好了。」

福爾摩斯道：「你到了那裡以後，要隨時和我保持聯絡，到了緊要的關頭，我可以指示你方法，以便你應付。我想星期六就可以動身了。」

爵士道：「不知華生醫生方便嗎？」我道：「來得及。」爵士道：「那麼，星期六十點三十分，我們在柏亭頓車站會合，萬一有什麼改變，我必另行通知你。」

我們正要起身告別時，忽聞巴斯克維爾歡呼了一聲，奔到屋角旁邊，從櫃櫥底下取出一隻黃色的靴來。他呼道：「這是我丟掉的靴子！」

歇洛克・福爾摩斯道：「但願我們的一切困難，也像這樣容易解決。」

毛廸麥醫生道：「這眞是奇怪的事。在午餐之前，我曾在這室中搜查過一番的。」

巴斯克維爾道：「我也檢查過，並且檢查得十分仔細。」毛廸麥道：「那時明明不見有靴子啊！」

巴斯克維爾道：「我想，這一定是我們用餐的時候，侍者私下放在那裡的。」

爵士馬上吩咐那個德國侍役上來，但那人聲言毫不知情，雖然一再究問，卻也解說不清。

「我已依言往那二十三家旅館問過，卻找不到那剪洞的泰晤士報。——卡立德」

福爾摩斯道：「華生，此刻有兩條線路已失敗了。我覺得案子的偵查，越是不順越足以刺激我。現在我們應當另尋線索了。」

我道：「我們還有一條線索哩。就是那個車夫，若能查明白了，也可以助我們進行。」

「正是，我已發電到車輛執照局去，探問那車夫的姓名、地址。啊！我想我們此刻談論的問題。已有回音來了。」

這時門鈴大響，不料結果竟比我們所希望的回音更令人滿意。原來室門開後，有一個相貌粗魯的人走了進來，仔細一瞧，那人就是那個車夫。

那人說道：「我從總局裡得到一個消息，這裡有一位紳士，要查問二七〇四號的車夫。

於是這一種奇怪而不知目的的事情，又一樣地在無法解釋的情況下結束。我回想除了查爾斯爵士的死亡以外，兩天之內，又發生了好幾件細小卻不可解的奇事。例如：爵士收到剪貼的匿名信；黑髯人的乘車尾隨；黃色新靴不見，接著黑色的舊靴又不見；最後那黃靴又被發現，都是無法解釋的。當我們乘車回貝克街時，福爾摩斯靜坐在車中，眉峰緊皺，臉色沈重，顯見他也和我一樣，在那裡推究這種種奇事的緣由。那天下午，直到傍晚，他都靜坐著吸煙尋思。

在晚餐以前，送進了兩個電報。第一個來電道：

「目前已得到回電，白瑞莫確在爵邸之中。——巴斯克維爾」

第二封道：

我做這駕車的工作已七年多了，沒有乘客不滿意的。因此，我直接來見你，請問你有什麼不滿意之處要查究我？」

福爾摩斯道：「我並沒有不滿意你的地方，你不要誤會。並且我還願給你半個金鎊，你只需回答我幾個問題。」

那車夫露著牙齒笑了一笑，大聲道：「咦，我沒想到今天還有這樣的好運。先生，你要問什麼事呀？」

福爾摩斯道：「第一，你先說明你的姓名地址，以便我以後可以隨時傳喚你。」

「我叫約翰·葛雷冬，住在透貝街三號。我的馬車是滑鐵盧車站附近，雪泊蘭車場裡的車。」

歇洛克·福爾摩斯用筆記了下來。他又道：「葛雷冬，現在你須老實告訴我。今天早上十點鐘時，你載著一個客人在這屋子外面守候，後來又跟蹤兩位紳士，往攝政街去。你把這一回事仔細說出來。」

那車夫顯出驚異和爲難的樣子，答道：「這事似乎已用不著我告訴你了。因爲你差不多已完全知道了啊！那位坐我車子的紳士，曾對我說他是一個偵探，叮囑我不許把這件事說給任何人聽。」福爾摩斯道：「好朋友，你要知道這件事很重要。假使你刻意要隱藏，那你就會受累。你說你的乘客告訴你，他是一個偵探？」「正是，他親口告訴我的。」「他什麼時候對你說的？」「他在車上的時候說的。」「他可還說過什麼話？」「他還把他的名字告訴我。」

福爾摩斯用一種得意的眼光，向我瞧了一瞧，又問道：「他還把他的名字告訴你？這卻未免欠謹慎些了。他說他叫什麼名字呀？」

那車夫道：「他的名字叫歇洛克．福爾摩斯。」

我從來沒有瞧見過他聽了車夫答話時那種驚訝的樣子。他靜默了一會兒，忽然縱聲大笑。

他對我道：「華生，這眞是一個敵手。我覺得這個人的敏捷和機智，竟和我不相上下。他必已窺破了我的計劃了——你可是說他的名字叫歇洛克．福爾摩斯嗎？」那車夫道：「正是，先生，那是他自已告訴我的。」「好！現在你告訴我。他在什麼地方雇你的車子，還有其他相關的，也一起說出來。」

車夫道：「九點半時，他在特拉法加廣場叫我的車子。他說他是一個偵探，給我兩個金鎊，我照著他的吩咐進行，不可多問什麼，我當然很高興地接受。起先我們到了拿森侖旅館外，等了一會兒，有兩位紳士走出來，在街上叫了一輛車子，我們的車子便跟在那車子後面，直驅到這附近。」福爾摩斯道：「就在這屋子的門口。」

車夫道：「這我就不敢確定。但我的那個客人卻都知道的。我們在街的一旁停著，約等了一個半鐘頭，後來那兩位紳士從我們的車前步行經過。於是我們又跟著他們過了貝克街。又經過……」

福爾摩斯接嘴道：「你們經過的路，我知道了。」

「我們到了靠近攝政街的盡端，我的客人忽開了車頂的門，叫我向滑鐵盧車站駛去，越快越好。我就揮鞭而駛，十分鐘內，我們便到了車站，他果眞把兩個金鎊給我，轉身向車站走去。正在他離開的當兒，他忽回轉過來說道：『我想你若知道你所載的乘客，就是歇洛克．

福爾摩斯，那你一定很高興的。』因此，我才知道他的姓名。」

福爾摩斯道：「我明白了。但之後再也沒有見過他嗎？」「自從他走進車站以後，我不曾再見過他。」「那麼，你能描述一下這個歇洛克・福爾摩斯先生的外表嗎？」

那車夫聽了，搔著他的頭皮，說道：「這個人的面貌，不容易描述的。我想他大約四十歲，中等身材，似比你矮兩三吋。他的衣服像一個鄉下人，蓄著黑色的鬚髯，修剪得很整齊，他的臉色灰白。此外我再說不出了。」福爾摩斯道：「他的眼睛什麼顏色？」「說不出來。」「你難道想不起來嗎？」「先生，實在不記得了。」「好，既然如此，這就是你的半金磅的酬勞。你拿去，你如果再有新的消息，來向我報告，我可以另外賞你。晚安。」「先生，晚安，多謝你。」

那車夫約翰・葛蘭冬取了金幣，很高興地退出。福爾摩斯回頭向我瞧著。他聳了聳肩，脣角露出勉強的微笑。

他道：「我們的第三條線索又中斷了。我們先前發現的線索，此刻都已到了終點。這個敵手，是不是很狡獪呢？他知道我們寓所的地址，知道亨利・巴斯克維爾爵士到我這裡求教，後來在攝政街上一看到我，就知道我的目的，他又料到我已瞧見了車子的號數，勢必能夠找到那個車夫，因此他特地留下一句戲弄我的話。華生，我告訴你，這一次我們遇到了一個值得較勁的敵手了！我在倫敦已有了一個好手和我敵對。我只希望你在德文郡曠地時，能夠有好運。但我究竟還不是十分放心。」我道：「你有什麼不放心呀？」「我打發你去做這一件事，我心上實在有些不安。華生，須知這是一件極恐怖而危險的事，我越想越覺得惴惴不安。好朋友，你也許笑我過慮，但我說一句老實話，我很希望你仍能夠平平安安地回到貝克街來。」

第六章　古邸中

到了約定的日子，亨利・巴斯克維爾爵士和毛廸麥醫生早已預備好了，所以我們便一同動身前往德文郡。福爾摩斯陪我同往車站，又給我最後的指示。

他道：「華生，你要注意，不要運用你的心思在理論或懷疑上面。我只求你把各種事實詳細告訴我，假設、歸納方面，讓我來擔任。」

我問道：「什麼樣的事實呢？」

「凡和這件案子有關係的事，無論出於直接、間接，你都應注意，尤其是巴斯克維爾和他鄰居們的關係，或是關於查爾斯爵士死因的新詳情，你都應告訴我。我在這幾天，已親自調查過，但結果卻並不如我所望。有一件事已確實證明，就是那詹姆士・泰司蒙，雖有候補繼承人的資格，但他是一個年高的長者，性情溫和，所以他實在沒有發生嫌疑的可能。我確信我們在推究這件案子時，儘可不管他。現在應注意的，就是曠地上那些在亨利・巴斯克維爾爵士身邊的人們。」

「第一步，你是不是要把那爵邸中的白瑞莫夫婦驅逐出去？」

「那決不可。你若這樣，就犯下大錯了。假使他們是無罪的，這舉動便對他們不公平；他們如果是有罪的，那麼，我們便把破案的線索完全丟掉了。因此，你決不可如此。我們現在先把這二人當做嫌疑人。如果我記得沒錯，爵邸中有一個馬夫，曠地上還有兩個農夫及我們的朋友毛廸麥醫生。我相信這人是完全誠實的，但他的夫人，我們卻不知道底細。另外有個生物學家史台柏，他有一個妹妹，據說是一個漂亮的女郎，還有藍富特莊園的佛蘭加先生，這人的底細我們也完全不知。此外還有一兩個其他的鄰居，這些人你都應特別注意。」

我道：「我必盡力。」他道：「我想你總有武器吧？」「有的，我想還是帶去的好。」「當眞應帶去的。無論日夜，你的手槍不能離身。你不能一刻不加謹愼。」

我們的兩位朋友已經定好了一節頭等車廂，正在月台上等待。

毛廸麥醫生聽了我的朋友的問話，便回答道：「沒有，我們沒有什麼新消息。有一件事我敢肯定，就是在那之後的兩天中，我們並沒有人被跟隨。我們出去時都仔細瞧察，絕對沒有一個人可以逃出我們的視線。」我的朋友道：「我想你們倆始終在一塊兒吧。」

「只有昨天下午分開過一次。我每次到城裡來，總會有一天的娛樂消遣，因此，昨天下午，我往外科醫學院的陳列館去了。」

巴斯克維爾爵士道：「那時我也去公園閒晃。但我們並沒有發生任何的麻煩。」

福爾摩斯的臉色變得很沉重，搖頭道：「這畢竟是不妥當的。亨利爵士，我請你不要一個人出去。因爲如此，也許有什麼災禍要降臨到你身上來。你找到你的另一隻靴子嗎？」

「先生，沒有。這靴子想必永遠不會回來了。」

「當眞。這是很値得注意的。啊，再會。」等到火車開動，快要出月台的時候，他又繼續道：「亨利爵士，你在毛廸麥醫生讀給我們聽的那故事中，應牢記一句話，就是『在黑夜惡勢力伸張的當兒，切不可經過曠地。』」

我們的車子離開了月台，我回頭向月台上瞧視，還看見福爾摩斯頎長的身影靜站著目送我們。我們的行程很迅速而愉快。我在這個期間，和我的兩個同伴交談，越發覺得親密，有時還和毛廸麥醫生的獵犬玩。數小時後，棕色的大地已變成赤紅，磚砌的屋子也已換成了石屋。在那籬柵圍起的田畝中，紅色的牛群正在吃草。田中蔬菜和青草很茂盛。假使氣候潮濕點，那勢必會更繁茂。巴斯克維爾從窗口往外眺，他見了舊日的風景，不禁歡呼起來。

他道：「華生醫生，我自從離開了英國，雖已遊歷過各國。但我卻沒見過一處比這裡更好的地方。」

我道：「我從來沒有見過一個德文郡人，不讚美他的故鄉的。」

毛廸麥醫生道：「這裡可說是地靈人傑。現在試瞧我們這位朋友，那圓形的頭顱，很明顯是屬於克勒特族的。這頭顱裡面，滿含著克勒特族人的勤奮和感情。那可憐的查爾斯爵士的頭，實在也是稀有的，它一半似蓋爾人，一半似愛弗人。你最後一次瞧見巴斯克維爾爵邸的時候，是不是還很小？」

「我父親死時，我還是一個十多歲的孩子。那時他和我住在南海濱的一宅小屋中，故而我從沒有瞧見過爵邸。我父親死後，我直接往美洲的一個朋友那裡去，所以我對於這裡的情形，就和華生醫生一般同樣覺得新鮮。我準備要仔細瞧一瞧那曠地哩。」

「當眞嗎？那麼，你的願望也容易滿足的。因爲你最先瞧見的，就是曠地。」毛廸麥醫生說時，把手指著車廂的窗外。

在那葱綠的田疇，和一帶低矮的樹林那邊，遠遠的聳著一座灰色且暗淡的小山，山頂有奇怪的裂口，遠望模糊不清，彷彿夢中的幻景。巴斯克維爾靜坐了好久，他的眼睛凝視著山上。我從他的臉上瞧出他非常全神貫注。因爲這奇怪的地方由他那些同血統的人管理過好久，當然會有很深的感情！我見他坐在車廂的一角，穿著一身絨質的衣服，帶著美洲的口音，似和平常人一樣。但我仔細瞧他黝黑的皮膚及立體分明的五官，越覺得他是那高貴家族的後裔。他闊厚的額角，感覺敏銳的鼻子，和栗色的大眼睛，都顯出他的傲貴和勇敢。假使這可怕的曠地上眞有什麼困難和危險的事情發生，我想他至少可以做一個和我聯合冒險抵禦的同伴。

火車停在一個偏僻的小站，我們一同下車，在那車站的白色短籬外面，有一輛駕著一對小駒的馬車等著。我們此次來，在這地方分明被看做是一件大事。站長和僕役們都爭來爲我們提行李。這地方本是很安靜可愛的，但此時我在籬門口瞧見了兩個穿黑色制服的士兵，卻不由得暗暗詫異。他們站在門的兩旁，身體都支在他們的短槍上面。當我們經過的時候，他們也目光灼灼向我們瞧著。那車夫是一個表情嚴厲的瘦人，見面時向亨利・巴斯克維爾爵士行了一個禮。數分鐘後，我們的馬車便朝那寬廣且白色的馬路上飛也似地行進。車道兩旁都是碧綠的草地，三角形的老屋不時從那稠密的綠叢中顯露出來。向前遠望，那安詳而日暉滿罩的鄉村後面，卻見一大塊黝暗的曠地，遙遙和暮天相接。在這曠地中，還有幾座險惡的小山，參差排列著。

那車子轉入了一條岔路，我們便往一條彎形的車道前進。路上滿是多年積成的輪跡，兩旁高聳的石壁覆滿了青苔和鳳尾草。蕨草和色彩斑斕的莓子，在垂落的斜暉中閃耀著。我們的車子逐漸往上，經過一座青石的小橋，橋下急流琤琮，在那灰色的亂石中奔騰飛濺。溪流和馬路都曲折地穿進一個山谷，谷中的橡木和無花果樹互相輝映。我們的車子每一轉折，巴斯克維爾爵士就發出歡樂的呼聲。他的眼光不停地向周圍瞧察，並提出無數的問題。那些景象一進他的眼睛都覺得美麗異常。但在我看來，只覺得處處有暗淡愁慘的意象。樹上的黃葉覆滿在路徑上，我們經過的時候，又紛紛翩翩落在我們的身上。車子從亂葉上經過，瑟瑟作響，我只覺得這種景象似乎是因爲巴斯克維爾的嗣子今朝歸來，造物主特地給的一種不祥的禮物。

毛廸麥醫生忽呼道：「哈，這是什麼呀？」

我們車子的前面有一塊隆起的高地聳立在曠地之中。那高地上面，長滿了許多野草。在這高地頂上，有一個騎馬的士兵，好像一個峙立在石座上的武士石像一般。那士兵手中執著一把來福槍，眼光看著我們經過的路上。

毛廸麥醫生問我們的車夫道：「潘根斯，發生什麼事呀？」

那車夫略略側轉身子，答道：「先生，有一個罪犯從王子鎮監獄中逃了出來。他已經逃出三天了，獄卒們因此在各處的要道和車站上監守。但至今還沒發現那逃犯的蹤跡。先生，這裡的鄉農們都感到不安。」

毛廸麥道：「不錯。我聽說這裡曾經有公告，如果有人檢舉，可以得到五鎊的賞金。」

車夫道：「先生，正是。但五鎊的賞金，比起你的咽喉被人割破，那是算不了什麼的。你要知道這不是一個尋常的犯人，他是一個什麼都不怕的兇徒。」「他是誰呀？」「他是諾丁山的殺人兇手，名叫賽爾丹。」

這案子我也記得，因爲福爾摩斯對於此案也曾注意過的。那犯人的舉動兇殘可怕，實在異乎尋常。不過後來他沒被判死刑，因爲人家都懷疑，他的行爲那麼兇暴，是不是神智不健全所致。這時我們的車子已上了一處高地，前面就是那廣漠的曠地。只見那磋砑的山頂，有圓錐形的石墓和石塔，參差棋布。這時有一陣寒風從曠地上吹來，竟使我們打了寒顫。我暗忖在這冷僻的平原上，那逃犯一定像野獸般藏匿在什麼地方。那惡人的心中，對於一切擯棄他的人，勢必都懷著惡意。這荒漠的原野，黑色的天空，再加上凜冽的寒風，越發令人覺得鬱鬱不樂。這時巴斯克維爾也靜默不語了。但把他的外套扣得更緊一些，以避寒風。

這時我們已上了高地。那豐腴的鄉野已在我們後下方。我們回頭瞧視，見那落日的餘暉照在溪流上面，化成一條條的金絲。那新耕的紅土也因殘照而越發灼紅。我們前面的路，卻越前進越荒涼。那褐色的小山坡上隨處羅列著巨石，我們不時經過曠地上的小屋，那些屋子的牆和屋頂都是石塊砌成的，牆上並沒有藤蔓植物。我俯望忽見一個杯形的凹地，四周有橡樹和無花果樹圍著，這些樹因受多年風雨的摧殘，都交糾結曲。有兩個高狹的塔尖從樹頂上透出來。我們的車夫忽舉起他的鞭子指著，道：

「這就是巴斯克維爾爵邸。」

這時爵邸的主人亨利・巴斯克維爾已站起

身來，眼睛瞧著前面，面頰泛紅，雙目炯炯發光。數分鐘後，我們已到了那屋子的前面。屋門是鐵條做成的，鏤刻出特殊的花紋，兩旁有飽經風霜的石柱，柱上苔蘚斑駁，柱頂上有兩個野豬頭形的石刻。門內的側屋本是黑石建構成的，此刻卻已廢棄，只剩條條的椽木樑，好似人身上暴露的肋骨。但在這廢屋的對面，有一宅新屋，只建到一半，這就是查爾斯爵士從南非金礦中得來的成績。

我們進了前門，經過一條林蔭道，車輪又在落葉上輾過。那老樹的枝條橫伸在通道上，我們從下面穿過。巴斯克維爾向那暗而長的車道瞧了一眼，那屋子恰在車道的盡端，正像鬼怪一般的聳著，不由得使他打了寒顫。低聲問道：「可就是這裡嗎？」毛迪麥道：「不，不，松徑還在那一邊呢。」

那少年嗣子顯出不悅的臉色，仍不停地向周圍瞧視。

他道：「在這樣的地方，莫怪我的伯父要感覺有什麼禍患要降臨到他身上了。這種地方儘足使任何人恐懼。我決定在六個月內，在這裡裝一排電燈，如果在這大廳的門前，裝了一盞一千燭的愛迪生燈泡，你們一定會不認識這屋子了。」

那條林蔭通路逐漸寬廣，我們便到了正屋的門前。我從那垂黑的餘光中，瞧見屋子的中間有一個走廊突出。但屋子的前面，完全被藤蔓掩蔽，只有窗口的地方被修剪掉了。就在這屋子的頂上，聳著兩個古塔，塔頂上有許多砲眼形的瞭望孔。雙塔的左右兩旁都是黑石翼樓，屋子的樣式還很新穎。從那厚重的窗口裡有暗淡的燈光透出，傾斜的屋頂上面有許多高煙囪，其中一個吐出一縷黑煙，在空中嬝繞著。

「亨利爵士，我們歡迎你，歡迎你到巴斯克維爾爵邸裡來！」

這話是一個高碩的男子說的。他從走廊的陰暗處走出，幫我打開車子的門，另有一個婦人的影像，從那大廳中的黃色燈光裡映現出來。她也走到外面，幫著那男子把我們的行李取下。

亨利爵士，我們歡迎你到巴斯克維爾爵邸來！

毛廸麥醫生道：「亨利爵士，你不會反對我直接回我家去吧？我的妻子正等著我呢！」

爵士道：「你可以暫留一會兒，和我們一塊兒進晚餐嗎？」

「不，我要走了。我想也許有什麼醫務正等著我呢！我本應留在這裡，帶你參觀這屋子，但白瑞莫一定可以做一個比我更好的嚮導，再會。如果有需要我的地方，無論日夜，你儘可來叫我的。」

毛廸麥的馬車從那車道中漸漸遠去，亨利爵士就和我轉身走進大廳，那大廳的大門很沈重地關上。大廳的面積很大，橡木的屋簷，因年久而變成黑色，老式的壁爐前面圍著很高的鐵欄，爐中柴木正燃燒著，劈啪作響。亨利爵士和我二人走到爐前，伸手烤火。經過了這麼長的車程，我們的手指都凍僵了。我們回頭瞧那狹長的窗口、古舊的玻璃、以橡木鑲板的窗框、壁上的鹿角和徽章，在中央那一盞燈的照射下，反而顯得更陰鬱嚴肅。

亨利爵士道：「這的確和我所想像的一樣。這不就是一個古老家庭應有的景象嗎？這就是五百年來我的族人住過的屋子！我一想到這層，便使我產生深切的感情。」

我見他向左右瞧察的時候，他那黝黑的臉上露出一種孩子般的興奮神情。他站立的地方，雖受著燈光的照射，但那屋子的四壁，和他的頭頂上卻都是黑黝黝的。這時白瑞莫已將我們的行李送進了我們的臥室，並重新回到了大廳，站在我們的面前。瞧他的態度，分明是受過充分訓練的僕人。他的面貌很好，身材高碩而挺秀，灰白色的臉，下巴蓄著方形的黑鬚。

他問道：「爵士，你要立刻進晚餐嗎？」

爵士道：「晚餐已預備好了嗎？」

「數分鐘內就好了。你的臥室裡已備好熱水。亨利爵士，我的妻子和我，在你的新安排就緒以前，很樂意侍奉你。你知道在這新的情況之下，這屋子一定需要很多的僕人吧！」

爵士道：「什麼新的情況呢？」「爵士，我認爲查爾斯爵士過的是一種隱居生活，故而我們還夠侍奉他。你當然會有更多的人同住，所以家中的情形勢必要改變的。」

「你的意思，可是說你和你的妻子要辭職？」

「爵士，這可以等到你完全適應的時候再說吧。」

「但你們的家族，不是已和我們相處了數代嗎？我很不願意我一到了這裡，便斷絕家族中的舊交。」

我覺得那總管的灰白臉上，露出被感動的表情。

白瑞莫道：「爵士，我也覺得如此。我的妻子也是不願意的。但我老實說，我們二人和查爾斯爵士的感情非常融洽，他的暴死，實在使我們非常震驚。因此，這裡的一切，竟使我們見了就痛苦。我怕我們倆在這巴斯克維爾爵邸中，永遠不能夠安心了。」

亨利爵士道：「那麼，你們打算以後做什麼事呢？」

白瑞莫道：「我已決定自立更生。因爲查爾斯爵士的慷慨，已給我們預備了謀生的資本。爵士，現在我來領你到你的房間去。」

大廳的上頭就是方形有欄杆的環廊，下面有一段雙疊的樓梯通接。走廊的中央，有二條很長的大走道，走道通著許多臥室的門。我的臥室和巴斯克維爾爵士的臥室同處一條走道，距離很近。這些臥室比那屋子中的房間更新式些。有色彩鮮明的壁紙，和無數的燭光，使那室中的景象，加上不少生趣，因此我剛才進屋時所感受的嚴肅印象也減少了幾分。

大廳相接的餐廳，卻是另一個陰鬱黑暗的地方。那餐廳很長，分成高低兩層，高處是爵士家族們的座位，低處則是僕役們的位置。空的一端有一個樂台，位置更高些。仰頭一望，黑色的樑木橫在我們頭上，樑後的天花板，也因煙氣薰染而變成黑色。假使在以前宴會的時候，室中點著一排火把，座客的衣服顏色燦爛繽紛，嬉笑聲不斷，自然可以把這種嚴肅的氣氛改變些。但這時候只有兩個穿黑衣服的男子坐在一盞有罩燈的光圈之中，更讓人覺得神情冷肅，聲調也不自然。壁上掛著許多巴斯克維爾祖先的肖像，裝束各個不同，從伊莉莎白時代的武士裝扮，到喬治四世攝政時代的服飾都有。這些肖象張目瞧著我們，是我們沈默的同伴。我們用餐時很少談話，飯後我才覺得爽快了些，因此就一起到新式的彈子房去吸煙。

亨利爵士道：「我敢說這實在不是一個令人愉快的地方。那些像雖然畫得很好，但我此刻想起仍覺得有些不快。我想到我伯父一個人住在這裡，感覺恐懼不安，實在是不足爲奇。你如果同意，我們倆今天可以早些安睡。我想明天早晨這裡的景象也許可以讓人愉快些。」

我在上床以前，把窗簾拉開，向窗外瞭望。窗外恰對著大廳前門外的草地，草地那邊有叢矮樹，正在寒風中瑟瑟作聲。半彎新月從急奔的雲層中透出光來。我從寒光之中瞧見樹林外邊就是斷碎的石堆，和那廣漠冷清的曠地了。我因此重新把窗簾拉好，覺得我腦中最後的印象已深深印入。

可是這還不算是最後的印象哩。我的身體雖很疲憊，腦子卻仍很清醒，在床上翻來覆去了一會兒，竟無法入睡。遠遠地聽見大鐘的聲音一刻刻地報著。但除此以外，這老屋中已完全靜寂了。到了半夜，忽有一陣聲音傳進我的耳裡，那聲音十分清晰，似是一個女子因憂鬱而發出的嗚咽哭泣聲。我從床上坐了起來，仔細傾聽，那聲音並不很遠，一定就在這一宅屋子裡。我大約坐了半個鐘頭，我的神經完全緊綳，但除了巨鐘的響聲，和牆外藤蔓被風搖顫的聲音以外，再也聽不見任何的聲息了。

第七章　曠地

次日早晨的清新美景，果然把我們昨夜所留的灰暗印象消滅了些。當我和亨利爵士進早餐的時候，日光從窗口灑進來，映著窗上的徽章，產生水浪似的波紋。黑暗的鑲板，受到金黃的日光的照射，也變得像紫銅一般。見了這種景象，讓人不敢相信昨夜所見的陰鬱景狀就是在此室。

亨利爵士說道：「我想這大概是我們的心理作用，並不是這屋子眞的那麼令人不快。我們昨天因爲長途跋涉，又在車中飽受了風寒，故覺得這屋子實在陰暗可怖。現在我們的精神既已恢復，對這屋子也就覺得愉快悅目了。」

我答道：「也許吧，但也不是完全屬於心理的問題。你在昨夜裡可曾聽到一個婦人的哭泣聲？」

「這眞是奇怪。我在半睡半醒的時候，也聽到了這樣的聲音。但我等了一下，這聲音就沒有了，故而我以爲這只是夢境。」

「我聽得很清楚的，並且我確信這一定是一個婦人的哭泣聲。」

「我們可立刻問個清楚。」

他按鈴喚白瑞莫進來，問他知不知道我們聽的聲音的來由。我似覺得那總管灰白色的臉，因爲他的主人的問題，越發蒼白。

他答道：「亨利爵士，這屋裡只有兩個婦人：一個是洗餐具的女僕，住在屋子的另一邊；還有一個就是我的妻子。我可以回答，這聲音決不是我妻子發出來的。」

可是白瑞莫的話，竟是不實在的。因爲在早餐以後，我在那條長走道上遇見白瑞莫太太。她是一個高大而面目粗陋的婦人，從她緊閉的嘴角，顯見她是一個冷酷的婦人。那時她的臉部被陽光照著，我見她兩眼紅腫，分明是哭泣過的。那麼，夜裡的哭聲應該就是她發出來的。如果眞的是這樣，她的丈夫當然會知道，但他卻沒想到事情這麼容易被視破，竟說哭泣的不是他的妻子。他爲什麼要說謊呢？並且她又爲什麼哭得如此酸楚？因此，我覺得這個黑鬚白臉挺秀的白瑞莫十分神祕和可疑。我又想，最先發現查爾斯爵士屍體的人，就是這白瑞莫。我們對於查爾斯死時的一切情形，都從他那裡聽來。那麼，我們在攝政街上所瞧見的那個乘車尾隨的人，難道就是這個白瑞莫嗎？那人也是有短鬍子的，雖據車夫說，那人是一個矮短身材的人，但倉卒中所見的印象，很容易發生錯誤。這個疑問我要怎樣解決呢？第一步，當然應先去訪問那個格林朋郵政局長，問他先前那個試探的電報，是否曾親手交給白瑞莫，無論他的回答怎樣，我應當把這事報告歇洛克・福爾摩斯。

亨利爵士在早餐以後，要查閱各種文件，我就趁此機會出去訪查。我沿著曠地的邊上走了約有四英哩路，到了一個小小的村落。村中有兩宅大屋，突出在別的屋子的上面。後來知道一宅是村中的旅店，一宅就是毛廸麥醫生的住宅。村中的郵政局長兼營雜貨業，他對於來往的電報，都有淸楚的紀錄。

他聽了我的問題，答道：「先生，我當然可以回答你。我把電報送給白瑞莫先生時，完全是照著指定的話辦的。」我問道：「什麼人送去的呢？」他道：「是這裡的送電報工讀生吉姆——上星期是你把電報送到爵邸中的白瑞莫先生那裡去的嗎？」那孩子道：「正是我送去的。」

我問孩子道：「你交到他手裡的嗎？」「那時他正在樓上，我沒有交到他的手裡，但是我親手交給白瑞莫太太。她允許我立刻送上去給他。」我道：「你可曾瞧見白瑞莫先生？」「沒有，先生，我跟你說他那時恰在樓上。」我道：「你既沒有見到他，怎麼能知道他在樓上呢？」

那郵局長插口道：「他的妻子當然知道他在什麼地方的。他究竟有沒有接到那電報？如果這裡面有什麼錯誤，也應由毛廸麥先生自己來追究啊！」

這問題勢無從再深究了。但因此可知雖經福爾摩斯的設計，我們還是沒有證據足以證明白瑞莫不曾到過倫敦。假使他果眞到過倫敦，那麼，他既是最後瞧見查爾斯爵士活著的人，而且等那新繼承人一回到英國，他就立刻跟蹤，究竟是爲了什麼？他可是受了別人的利用，正在進行什麼陰謀嗎？或是他自己有什麼惡計呢？他這樣設計謀害巴斯克維爾族的人，又有什麼好處呢？於是我又想起那封用報紙剪貼的警告，這警告是他寄的嗎？或是另有其他蓄意破壞他陰謀的人寄給爵士的呢？我想來想去，覺得只有亨利爵士所假定的一種可能，就是白瑞莫如果把爵邸的主人嚇走了，他們夫婦倆便可以得到適意而永久的居住權了。但這樣的解釋，運用到那種種對爵士的深謀暗計上，似乎還不很切當。福爾摩斯曾經說過，在他的許多探案之中，還不曾有比這事更複雜的案子。當我在那寂寞的曠地上往爵邸走時，心中希望我的朋友能夠早點結束其他的案子，脫身到這裡來，以便接替我肩上所負的重任。

忽然，我的思緒被我後面的腳步聲打斷，並有人呼叫我的名字，我正想或許是毛廸麥醫生。但轉頭看去，卻是一個不相識的人，正從後面追趕上來，我不禁暗暗詫異。他是一個身材瘦小的人，面容矜持而光潔，淡黃色的頭髮，瘦削的下巴，年紀約在三十四十之間，身上穿著一套灰色衣服，頭上戴著一頂草帽。他的肩上掛著一個搜集植物標本的鋅製箱子，有一隻手拿著一個綠色的捕蝶網。

他見我站住了等他，便喘息著奔到我的旁邊。他說：「華生醫生，我想你一定會原諒我的鹵莽的。在這曠地上，大家都像自己人，彼此相見，都不用正式的介紹。我想你已從我的朋友毛廸麥嘴裡聽過我的名字了。我就是梅里披屋的史台柏。」

我道：「你的捕蝶網和那個箱子，早已告訴我你是誰了。因爲我知道史台柏先生是一個生物學家。但你怎會認識我呢？」

「我剛才去拜訪毛廸麥。當你經過的時候，他從診室的窗口指給我看。我知道你和我同路，我想一定可以追得上你，就跑了出來。我想亨利爵士一路都很平安吧？」「謝謝你，他很好。」

「我們都很擔憂，深恐查爾斯爵士遭遇不幸以後，那新男爵不肯再住到這裡來。你知道在這種地方，有一個富人肯屈尊居住，是很慶幸的。你總也知道，爵士是否決定要在這裡居住，對於這鄉村周圍是有重大影響的。我想亨利爵士並不害怕那一件迷信的事吧？」「我想不見得如此。」

「你想必已聽過那怪狗恐嚇爵士家族的故事。」「我已聽過了。」

「這裡的鄉人特別多疑！這裡的任何人都說曾在曠地上見過這樣一種東西。」他說這話時臉上帶著笑容，但我瞧他的眼光似很認眞。他繼續道：「我想這個故事，對查爾斯死因的判定，一定有重大的影響。後來他的慘死也必是從這一點上發生的。」

「何以見得？」「他的精神原先旣已受了影響，所以瞧見任何的狗，在他有病的心裡，都足以釀成危險的結果。我因此想，那天夜裡，他在松徑上也許眞瞧見過什麼東西，所以，那不幸的災禍就發生了。我很喜歡這個老人，我知道他的心臟不好。」

「你怎樣知道的呢？」「我的朋友毛廸麥告訴我的。」

「那麼，你認爲那夜定有什麼狗在追查爾斯爵士，因此他就驚嚇而死？」「是啊！你還有其他更恰當的解釋嗎？」「我還沒有任何假設。」

「歇洛克・福爾摩斯先生可已有推定的結果了？」

我一聽這話，不覺暗暗一震。但瞧我同伴平靜的表情和鎭定的眼光，我想，也許這一點原不足爲奇。

他道：「華生醫生，我們實在不必假裝不知道你是誰。你對偵探的記述，早已傳播到我們這裡。你旣然竭力表揚你的朋友，自然也會將你自己表露出來。當毛廸麥說起了你的名字，我就知道你是什麼人。現在你旣已到了這裡，可見歇洛克・福爾摩斯先生一定也在注意這件事了。因此我就想問問他的意見是怎樣。」

我道：「這問題我不能回答。」「那麼，他會到這裡來嗎？」「他眼前還不能離開倫敦。他被別的案子絆住。」

「可惜啊！他在這一件案子上，一定能爲我們指引光明的。但你現在既來偵查，如有需要之處，你儘量吩咐。假使我能夠知道你此刻打算要怎樣進行，我現在就可以貢獻些力量或意見。」

「老實對你說，我此次到這裡來，只是爲了陪伴我的朋友亨利爵士。我不需要什麼幫助。」

史台柏道：「好！你這樣子謹備而愼言，是很應當的。我此刻冒昧的話，確是不智之言。我保證，以後我決不再提起這一件事。」

我們這時已走到一條狹窄草徑的岔口，那草徑曲折地穿過曠地。在那草徑的右邊，有一座亂石縱橫的小山，山上有一個空穴，很顯然是多年以前因採石而留在那裡的。石穴正向著我們，因年代久遠，穴壁已變成灰黑，穴壁的罅縫之中也長滿了許多野草。在小山的那面，一陣灰色的煙霧正在空中飄蕩。

史台柏道：「我們在曠地上信步閒行，不覺已到了梅里披屋。不知你是否願意賞光，到我那裡略坐。我給你介紹我的妹妹。」

我正想我應回到亨利爵士那邊去了，但是，我又想起他的文件和冊籍正堆滿了他書房的桌子，勢必要費好一段時間審查。這件事我當然無法幫他的，況且福爾摩斯又曾叫我注意曠地上的那些鄰居們，我就接受了史台柏的邀請，一塊兒折向草徑上去。

他瞧著那些高低不平的丘陵，和那參差不齊的小山，說道：「這曠地眞是一個奇怪的地方，你在這裡決不會覺得煩悶的。你也無法猜想這曠地所含的一切祕密。你瞧這裡多麼廣漠荒涼而神祕啊！」我道：「那麼，你對於這地方很熟悉？」

「我到這裡只有兩年，這裡的住戶稱我是新來的人。我們來時，查爾斯爵士也剛來沒有多久。但我的嗜好就是查探這鄉村的各個角落。所以我想這裡的人，對於這曠地的情形，確實沒有像我那麼熟悉的。」

「這地方眞的那麼不容易熟悉嗎？」「眞不容易。譬如你瞧那向北的一塊平原，中間聳著幾座小山。你覺得可有什麼特異之處？」

「這是一個頂好的馳馬場。」「你當然會這樣想。但因爲這種想法，以前已不知死傷了多少性命。你有沒有瞧見那平地上有一堆堆的綠叢？」「瞧見了。那裡似乎比別的地方沃潤些。」史台柏笑道：「這就是格林朋大泥潭。無論人畜，偶一失足，便沒有性命。昨天我還見到一隻馬陷在裡面。那馬一陷進去，就永遠不能出來。我還見那馬頭伸出在泥潭上面好一會兒工夫，後來就沒頂陷落。天氣乾燥的時候，要經過那裡，就已經很危險，秋雨過後，這地方更是恐怖了。但我卻能夠走到那泥潭的中央，再尋路出來。哎喲，那裡又有一隻可憐的東西陷進去哩！」

這時我見有一個棕色的東西，正在那草叢中竭力掙扎，接著又見牠長長的頭頸在綠叢上面扭動，且發出一陣可怕的呼聲，曠地上迴音四起。我一見不禁打了個寒顫，但我同伴的神經似比我更堅強些。他道：「完了！這東西已沒有命了！這兩天中竟陷死了兩隻馬。以後還不知有多少。乾燥的時候，牠們原可以從這裡經過，但牠卻不知道雨後這泥潭會有所不同。

這實在是一個可怕的地方。」我道：「但你不是說你能夠走過去？」

「正是，潭上有一兩條狹徑，必須是敏捷靈活的人才能穿過。這狹徑，已經被我發現了。」

「但你爲什麼要到這樣恐怖的地方去呢？」

「這是有緣故的。你看見那邊的小山嗎？這些小山眞像海島，四周都被不可通行的泥潭圍著。山上有許多奇異的植物和蝴蝶。不過，想要上去，卻需有些本領的。」我道：「那麼，過幾天我也想試一下。」

他用驚駭的表情向我瞧著道：「請你看在上帝的分上，放棄這種想法吧！否則，你的性命會因此而喪失。你若單獨前往，決沒有生還的機會。我所以能夠進去，是因爲我能識別土地上的某種記號的緣故。」我呼道：「哈，這是什麼呀？」

這時有一種低沈而長的呻吟聲，瞬間迴盪整個曠地，但卻不知從什麼地方發出來。那聲音起初模模糊糊不清楚，後來逐漸變大，成了嘶吼聲，接著又回復了淒慘模糊的聲音，史台柏回頭瞧我，他臉上滿顯著奇異的神色，說道：「這曠地眞是一個奇怪的地方啊！」我道：「但這究竟是什麼呀？」「這裡的鄉人們，都說這就是巴斯克維爾的怪狗，嗥叫著索取食物。我從前已聽過一兩次，但沒有像這一次這麼大聲。」

我回頭朝那綠叢雜生的曠地四周瞧了一番，心中不由得產生恐懼。這時曠地中除了兩隻巨鷹在我們後面呀呀地叫著，此外就沒有別的生物了。

我道：「你是一個受過教育的人，想必不會相信這種傳說吧？你想這奇怪的聲音從那裡來的呢？」他道：「池沼或泥潭有時也會有奇異的聲音。污泥下沈時，或是潭中的水漲發時，或是別的東西……」我道：「不是，不是，那是一種動物的聲音。」他道：「你聽過鷺鷥的鳴聲嗎？」「沒有，我從來沒有聽過。」

「這是一種英國稀有的鳥——差不多要絕種了，但在曠地上，這東西也許還有。是的，我料想剛才我們聽到的聲音，就是這一種鷺鷥的鳴聲。」

「這實在是我生平難得聽見，最奇怪又最恐怖的聲音。」

「是啊。這地方也可算是奇怪的。你瞧那邊的小山，你有沒有瞧見什麼呢？」

我見那巉巉的山坡上，有一塊塊灰色的大石，環成圓圈。竟有十多個圈子。我因問道：「這些是什麼呀？是羊圈嗎？」

史台柏道：「不是，這些都是我們先民的房屋。上古時期，生活在這曠地的人很多，後來便沒有人在這裡居住，所以這些先民的遺跡至今仍保存著。這些都是他們的石屋，不過屋頂都廢掉了。假使你有好奇心到裡面去瞧瞧，你還可以瞧見他們的火爐和床。」我道：「你想，在什麼時期，有人住在這山上呢？」「大概在是新石器時代，年代已不可考了。」「這些人做些什麼呢？」

「他們在這些山坡上放牧，也許已知道採掘錫礦。因爲那時候銅刀已取代了石斧，換句話說，已由石器時代進入銅器時代了。試瞧對面山上的那一條深壕，這就是他們的遺跡。華生醫生，你若在這曠地上仔細觀察，定可發現些奇異的跡象。啊，對不起，這東西一定值得搜集的。」

這時有一隻不知是蠅還是蛾，從我們的狹

徑上飛過。史台柏一見，便振作精神奔過去撲捉。我見那東西向那泥潭飛去，有些失望。但我的同伴卻舉起了他綠色的捕蝶網，從那一叢叢的草堆上奔跳過去。他的灰色衣服因奔追過急，受風飄動，他的人竟也變成了一隻大蛾。我站住了瞧他奔追，心中一半佩服他的舉動靈敏，一半卻替他擔憂，怕他會失足在那泥潭中。正在這時，我聽見腳步聲，回過頭去，卻見狹徑上有一個女子，已經向我走近了。她是從炊煙裊裊的梅里披屋那邊來的，但因爲曠地傾斜不平，直到走近，方才瞧見。

我一見那女子，便毫無疑問地知道那一定是史台柏小姐。我知道這曠地上絕少上流女子，又記得人家提起過她，稱她是一個美女。這走近我的女子的確是一個非常美麗的女郎。但若說到兄妹相貌不像，大概沒有比這兩個人更顯著的了。因爲史台柏膚色不黑不白，他的頭髮淺淡，眼珠灰色。這女子卻有黝暗的皮膚，在英國不易多見，身材瘦長而美秀，她的容貌端莊姣好，加上性感的雙唇，和黑色嫵媚的眼睛，更讓人動神。她完美的姿態和雅潔的衣服，在這曠地上的確可算是一個特殊的人物。當我回頭的時候，她正瞧著她的哥哥，一會兒，她又很敏捷地回眼瞧我。我把帽子舉了一舉，正想向她說幾句寒暄的話，她忽先開口，並且那話突如其來，把我之前的想法完全改觀。她道：

「回去！快點回倫敦去吧！」

我聽了只用驚異的眼光向她呆瞧，她也張大眼睛瞧我。她的腳很不耐地在地上頓著。我問道：「爲什麼我該回去呢？」

她馬上放低了聲音，那語調卻很懇切。她答道：「我不能解釋。但看在上帝的分上，你還是照著我的話做。快回去！以後決不要再到曠地上來。」我道：「但我才剛到這裡。」

她大呼道：「你這個人啊！你難道不懂得這種警告對你有益嗎？回倫敦去吧！今夜就動身！你要不惜任何代價，快點離開這個地方！不要再說了，我哥哥來了！我說的話，你不可提起一個字——你可以從那草叢中幫我採一顆菓子嗎？我們曠地上的菓實是很豐盛的。可惜你來得遲了，瞧不見這裡的美景。」

史台柏已放棄了那隻飛蛾不追，轉身向我們走來。他的呼吸急促，臉色也因用力而泛紅。

他呼道：「哈，貝兒！」我覺得他向妹妹招呼的聲音，並不怎樣親切。那女子道：「傑克，你很熱吧！」

「正是，我剛才追一隻飛蛾，那是在深秋時難得見的。可惜我竟沒有追到。」

他說話時似很隨意，但他兩隻小眼，不時向我和那女子的臉上瞧來瞧去。說道：「我知道你已自己介紹了。」

她道：「我正在告訴亨利爵士，他來得太晚，已瞧不見曠地上的美景了。」他道：「什麼？你說這一位是誰？」她道：「我想他一定是亨利．巴斯克維爾爵士。」

我接嘴道：「不是，不是，我只是一個卑微的平民，是爵士的朋友。我是華生醫生。」

她表情豐富的臉上，頓時顯出一種懊惱的樣子，她道：「那麼，我們誤會了。」

她的哥哥道：「你們談話的時間並不長啊！」說時，仍以他懷疑的眼光向她瞧著。

她道：「我竟把華生醫生當做了這裡的新住戶。他既然是偶然蒞臨，那麼，對於菓實產季的早晚，當然沒有關係了。你可願意到我們的梅里披屋中休息一下？」

我們走了沒多久，到了一宅前有荒蕪庭院的屋前。那屋子從前似乎是牛販的農舍，此刻經過修理改建，已成了一間新式的住屋。屋子四周都是菓樹，但那時樹上的枝葉已禿，就像在曠地上所見的一般，所以瞧去也很蕭條。那屋子裡有一個衣服敝舊面容枯槁的老男僕，這人似乎是管家，他把我們接到裡面。屋子面積很大，陳設也很雅潔。由此可見這女子的性情。我從窗口向外望，只見廣漠的曠野和确犖的亂山直通天際。我暗暗詫異，究竟有什麼東西，竟能把這一個飽學的男子和美麗的少女引到這樣凄涼的地方來。

他似乎回答了我心中的疑問，說道：「我們選擇了一個很奇怪的地方是嗎？可是我們卻非常快樂，貝兒，我們是不是很快樂？」

她答道：「很快樂。」但她的語氣卻不是很誠懇。

史台柏道：「我曾在北方辦過一間學校。以我的脾氣，從事教育的工作，不免要感覺乏味。但我一想到和那些孩子們相處，能夠以我的思想和品行讓他們潛移默化，那也是很有趣的。可是我的命運不好，學校突然流行嚴重的傳染病，有三個學生因這病而死，後來這學校就因此解散，讓我受了極大的打擊。我失去這些有趣的孩子爲伴之後，便和我妹妹一塊兒到這裡來。因爲我很喜歡動植物學，我妹妹也有這樣的嗜好，於是找到了這一個大自然的研究場所。華生醫生，我剛才見你從窗口往外望著那曠地的時候，臉上露出一種疑問的神色。現在你明白我們到這裡來的緣由了吧！」

我道：「我當眞覺得你們住在這裡眞是太

乏味了——尤其是你的妹妹，我更會有這樣的感覺。」那女子忙道：「不，不，我並不覺得乏味。」

史台柏也道：「我們這裡有書，有研究室，又有很有趣的鄰居。毛廸麥醫生在醫學學識上很精深，查爾斯爵士也是一個很和藹的同伴，我們和他很熟。此刻我們對於他的傷悼眞是非言語能盡。我想在今天下午往爵邸裡去見見亨利爵士。你想，我這樣會不會太鹵莽？」我道：「他一定會很高興見到你的。」

「那麼，請你先幫我向他知會一聲。我們儘可爲他盡一些力，以便他能夠在這新環境中樂意安居。華生醫生，你可願跟我到樓上去，瞧瞧我搜集的鱗翅類昆蟲？我想那可算是在英國西南部的蝶類標本中最完備的一組了。等你瞧完，我們的午餐也準備好了。」

但我卻更想回去執行我的職務。荒涼的曠地、馬的陷斃，和那奇怪恐怖的聲音，竟都和巴斯克維爾爵邸的故事有些符合——這種種事情都使我愁鬱不歡。除此之外，還有一種更深切的印象，就是貝兒·史台柏小姐向我所說的警告。我見她如此誠懇的語氣和堅決的態度，顯見這其中必有什麼重大的理由。雖然如此，我仍竭力克制著，留在那裡午餐。餐罷以後，我便告辭回去。這時我仍循著來時經過的草徑回去。

從史台柏家裡出來，似乎有一條更近的捷徑。因爲我快要到達馬路的時候，忽見史台柏小姐已坐在路旁的一塊大石上面。她因劇烈運動的緣故，臉色暈紅，越顯得美麗。

她說道：「華生醫生，我直奔到這裡，希望能趕上你，所以就來不及戴上帽子。我不能在這裡多耽擱，否則，我的哥哥要出來找我了。我剛才錯認你是亨利爵士，實在覺得很抱歉。請你把我剛才說的話忘掉。這話和你完全沒有關係的。」

我道：「史台柏小姐，但我無法忘掉。我是亨利爵士的朋友。他的安全，我是很關心的。請你告訴我，你爲什麼這樣懇切地要叫亨利爵士回倫敦去？」

「華生醫生，這不過是一個女子的偶然幻想罷了。等到你和我交往熟悉以後，便可知道有時我的話和舉動是沒有理由的。」

「不是，不是，我記得你先前說話時的語調，和你眼中的神情，都滿含著驚恐。史台柏小姐，我請求你開誠布公。你知道我自從到了這裡，覺得環繞著四周的都是黑影。這裡的生活，眞像那格林朋的大泥潭一般，隨處有一堆綠草，但就在這綠草堆裡，會讓人陷落進去，無從脫身。請你告訴我，你究竟是什麼意思？我可把你的警告轉達亨利爵士。」

她聽了我的話，臉上顯出遲疑的樣子，可是她回答我的時候，眼神又變成堅定的了。她說道：「華生醫生，你太多慮了。我哥哥和我，對於查爾斯爵士的噩耗實在非常震驚。我們和他相處得很融洽，他也時常經過曠地，到我們家裡來。他因爲他家族被詛咒的故事，常覺得惴惴不安，所以當他的兇耗傳到我耳裡時，我便覺得這裡面定和他先前的恐懼有些關係的。因此，我一見爵邸中又有人來了，就不免替他擔憂，同時我覺得我應警告他一聲，這裡有些危險。這就是我要向他傳達的意思。」我道：「但這裡有什麼危險呢？」她道：「你知道怪狗的故事嗎？」「我不相信這種沒意義的神話。」

「我卻相信的。如果你能說得動亨利爵士，你就應該讓他脫離這個地方。須知這地方實在是不利於他的家族的。世界很廣大，他爲什麼非要住在這個危險的地方呢？」

「因爲這地方危險，他才要來住，這就是亨利爵士的特別脾氣。我想假使你不能提出比這更切實的理由，一定不容易勸他搬走的。」

「我不能提出什麼切實的理由，因爲我不知道切實的事啊！」

「史台柏小姐，我還要問你一句話。假使你的本意不過如此，那麼，你先前和我說話的時候，爲什麼不願讓你的哥哥聽到呢？照你此刻所說的，不但你哥哥，任何人也不會有反對的理由啊！」

「我哥哥是很希望爵邸中有人居住的。他認爲這樣可以使曠地上的貧民得到些利益，因此，他假使知道我要叫亨利爵士離開這裡，他一定會動怒的。但此刻我的本分已盡，以後決不再說這樣的話。我要回去了，否則，他就要出來找我，並且發現我來見你了。再會。」

她說完了話，就轉身離去，數分鐘後，已被那四散的巨石擋往，看不見了。我心中充滿了疑慮和驚恐，也回身向巴斯克維爾爵邸走去。

第八章　半夜後

這案子記載到這裡，我且把當時我寫給歇洛克・福爾摩斯先生的信，抄錄幾封，以便使這情節繼續下去。有一封信已遺失了，其餘的信還保存著，那信中寫了當時對於這案子的感想和疑竇，非常明晰，比起我此刻的追想，當然更準確了。

「我親愛的福爾摩斯：

我之前的信和電報，已把這奇異的地方所發生的一切事情完全向你報告了。我想你對於這事，應該也都明瞭。人在這裡待得越久，越覺得這曠地廣漠而幽祕。這種感覺，深印在每個人的心中。一方面，所有的英國景象完全被隔離，另一方面，你會覺得你已置身在先民的生活環境之中。如果在這裡步行，只見四周的屋子都是這些古人的遺物，除了他們的廢墓，還有粗大的楹柱，那似乎是當時的廟基。你若見了那小山兩旁的灰色石屋，便會有時光倒流的幻覺。假使你看到一個裹著獸皮毛茸茸的人從那低矮的門洞裡爬出來，取了一根燧石箭扣搭在他的弓弦上，你會覺得那個人比你更適合留在這裡。最奇怪的一點，這地方雖很枯瘠，但人口卻很稠密。我雖然不是考古家，但我覺得這是一群隨遇而安，不喜爭鬥的種族。所以他們可以在這種別人不願駐足的地方安身。

雖然，這些事對於你差遣我的任務，毫不相關，而在你重視實際的眼光瞧來，也許要覺得沒有趣味——我還記得你對於太陽繞地球，或地球繞太陽的問題，是完全不放在心上的。

因此之故，現在我就把關於亨利・巴斯克維爾爵士的事向你報告吧！

前幾天，我沒有告訴你，就因爲沒有重要的事實發生。但今天竟有一件驚奇的事情發生了，我現在且依次敍述，先把這事的幾種起因說明一下。

第一，就是那逃犯的事情。我先前還不曾仔細報告過。據充分的理由斷定，這犯人一定逃出曠地了。憑這一點，這裡的居民都覺得放心了。從他脫逃以後，已經過了兩個星期，在這期間完全沒有人瞧見過他，或聽到他的消息。若說這段期間，他仍舊藏匿在曠地上，未免不近情理。但無論如何，他既是躲著不出現，這地方當然不致發生什麼禍患的。雖然這些石屋，都可以做他的藏身之處，但他卻沒有食物，除非他出來偷捕曠地上的羊，殺了羊生吃，才可以活命。基於這種種理由，我們都推想他已離開了曠地，農夫們也都覺得可以高枕無憂了。

爵士宅裡有四個強壯的人，所以儘可以保護自己。但我老實說，我一想到那個史台柏，心中便覺得不安。他們住的地方是孤立的，和其他可以互相支援的地方，都有數英哩之隔。他們那裡有一個女僕、一個年老的男僕，此外就是史台柏兄妹二人。而史台柏本人也並不十分健壯，萬一那個在諾丁山犯過兇案的逃犯，闖到了他們那裡，他們肯定束手無助，那實在是非常危險的。我和亨利爵士都很替他們擔憂，因此我們曾想叫馬夫潘根斯睡在他們的家裡陪他們，可是史台柏卻不贊成這種舉動。

事實上男爵對這一位美貌的鄰居，已表現出很大的興趣。這原不足爲奇的，因爲像他這樣活潑的人，住在這種冷僻的地方，當然會覺得寂寞。況且貝兒・史台柏又是一個美麗動人的女子。這女子有熱帶人的性情，和她嚴冷而沒有感情的哥哥截然不同。史台柏似潛藏著火爆的性情；他有左右她一切的力量。因我見她談話的時候常用詢問的眼光看他，似在問她所說的話是否違反他的意思。但我確信他待她很好。他眼睛烱烱有神，薄薄的嘴唇顯得性情暴戾而堅壯。你假使見了他，也會覺得他是很值得研究的人。

男爵到了巴斯克維爾爵邸以後，第二天早晨，史台柏就帶我們去看那傳說中許谷遇害的地方。那路途有數英哩之遠，地方很僻靜，的確可能產生怪祕的故事。我們瞧見一個狹小的山谷，兩邊都是亂石的小山。過了這個山谷，又是一片廣寬的草地。在這草地的中央，有兩塊大石聳著，大石的上端都已磨蝕成銳形，彷佛怪物的獠牙。這裡的情景眞和慘祕的故事完全符合。亨利爵士十分在意，曾好幾次問史台柏，是否也認爲那鬼靈的力量，確有干涉人事的可能？亨利說這話時，表面上似漫不經心，但他心裡卻是十分認眞的。史台柏答得非常謹愼，但我覺得他語氣含蓄不認眞。似乎他是怕

史台柏帶我們去看傳說中許谷遇害的地方。

影響男爵的情緒，故而不願意表達他全部的意見。他告訴我們一件同樣的故事，有一戶人家，也曾受到這種惡勢力的侵擾。所以當我們分別的時候，我們覺得他對於一般人相信鬼靈的看法，也是深信不疑的。

我們從那地方回去以後，就在梅里披屋用午餐。在這個時候，亨利爵士便和史台柏小姐相識。當爵士一瞧見她，似立即被她所吸引，而我瞧那女子也有同樣的感情。在我們的歸途中，他一再提起這個女子，從此以後，我們幾乎沒有一天不和那兄妹倆相見了。今晚他們在這裡用晚餐，同時又商量下星期的那一天，我們再去他們家。在常人想來，這樣的結合，史台柏應該是會歡迎的。可是我好幾次瞧見，每逢亨利爵士注意到他的妹妹，他總露出一種不滿的神情。他和他的妹妹當然是很親密的，一旦她嫁了出去，他不免要感到寂寞。但他假使因此而阻撓她的婚事，那未免顯得他太自私了。據觀察，他當眞不願爵士和他妹妹達到戀愛的地步。他屢次設法阻止他們倆的密談和任何接近的機會。你本吩咐我不要讓亨利爵士一個人出去的，但假使這一件困難的事上，又另外衍生了一件感情的問題，那我就有些不能勝任了。因爲我假使照你的話實行，就不免要讓人憎厭了。

星期四那天，毛廸麥醫生和我們一塊兒用午餐。他近來在浪塘挖掘到一座古墓，竟得到一個骷髏，所以他非常快樂。我從來沒有見過像他這樣專心一志的人！後來史台柏來了，毛廸麥因爲亨利爵士一再請求，便領我們一塊兒到那松徑裡去，把那晚發生慘劇的情形告訴我們。那松徑很長，兩邊都是剪齊的松樹，樹下各有一條草徑，草徑的中央，才是那條狹路。在這松徑的盡端，有一個廢舊的涼亭；松徑的中間，有一扇通曠地的門，就是老爵士曾在那裡留下煙灰的地方。這一扇木門用白漆漆著，裝著一個門閂。

松徑

從這門出去，就是廣漠的曠野了。我記得你當時對這事的推想。你曾說當老人站在那裡的時候，忽見什麼東西從曠地過來，而這東西使他大受驚嚇，因此喪失了他的神志，接著他奮力狂奔，直到力竭而死。他所奔過的路很長，但他究竟爲什麼奔逃呢？他是瞧見了曠地上的一隻牧羊犬嗎？或是當眞是一隻黑色無聲的怪狗？這件事的背後究竟有沒有人在指使呢？還有那臉色灰白而警覺性高的白瑞莫，是不是有隱祕的事情不肯說出來呢？這種種怪事都不容易解釋。但幕後一定隱藏著黑暗的罪影。

我自從上次給了你一封信後，又遇見一個鄰居。他就是藍富特莊園的佛蘭加先生。他住在我們南面約有四英哩遠的地方。他的年紀已大，白髮紅臉，性情容易動怒。他喜歡涉訟，他大部分的資產都消耗在訟事上面。他和人家爭訟，似乎只是爲了娛樂，故而無論何時，他都可以在任何方面與人發生爭執。因此，他在這種事情上已花了好多錢了。有時他無端把一條通路隔斷，等教區裡的幹事來和他交涉開放；有時他把人家的大門拆毀，聲言在好多年前，那裡是一條通路，等著那屋主控訴他侵占罪。他對於從前貴爵們的采地，和平民的公產都非常熟悉。有時他憑著這種智識，爲佛恩渥西村的村民力爭取利益，但有時卻又跟村民們作對。所以在某一個時期，他很受村人們的熱烈歡迎，但在某個時期，卻又衆口一詞地恨他。據說他眼前還有七件訟案沒有了結，這七件案子，已足夠消耗他剩餘的財產了。也許到了他耗盡家產的時候，就像黃蜂去了毒螫，不致於再有害於人了。他除了好訟以外，卻是一個性情很好的人。我之所以提起他，就因爲你曾叫我對我們周圍所有的人，都要詳細報告的緣故。他現在忙得很，他是一個業餘的天文學家，因此有一個很精美的望遠鏡。他常帶著這個東西，爬到他的屋頂上，一天到晚往曠地上瞭望，希望瞧見那逃犯的蹤跡。假使他全神貫注在這一點上，倒也罷了，但據外面謠傳，他正想控告毛廸麥醫生，因爲毛廸麥最近在浪塘掘到一個骷髏，但是他並沒有經過這古墓親人的同意就擅自掘墓。這一個佛蘭加先生的舉動眞是非常有趣，使我們這裡的生活還不致過於單調。

我已把那逃犯、史台柏、毛廸麥醫生，和佛蘭加等幾個人的情形完全告訴你了，現在我就要說到最緊要的一點了，就是關於白瑞莫的事，尤其是昨夜發生的一件奇事，更需要特別注意。

我們之前曾在倫敦發過一個電報，想要試探白瑞莫當時是否在爵邸之中。我已告訴你，我向郵局裡問過，知道這一次並無圓滿的結果，我們仍舊沒有證據，證明他是否在爵邸。我把這件事的情形告訴了亨利爵士，他毫無遲疑，立即把白瑞莫叫來，問他當時是否親自接得那個電報。白瑞莫卻說是他親手接得的。

亨利爵士問道：『那送電報的孩子，曾把那電報交到你手裡嗎？』白瑞莫露出詫異的樣子，又尋思了一會兒，答道：『不是，那時我在小屋裡，我的妻子將電報拿上來的。』『那回電可是你自己發的？』『不是，我告訴我的妻子怎樣回答，她就走下來寫的。』

到了晚上，他忽又重新提起這個問題，道：『亨利爵士，我不明白今天早晨你問我的問題究竟有什麼含意？我想我不致於有什麼舉動，喪失你對我的信任吧？』

亨利爵士回答他並無此意，同時又把他衣櫥中的東西賞給他幾件，似藉此安慰。因爲這時新備的器物、衣服，已從倫敦運送來了。

那白瑞莫太太我也是十分注意。她是一個壯健而端莊的婦人，瞧去似不易動感情。可是我告訴過你，在我第一夜到爵邸的時候，曾聽見她嚶嚶啜泣。自從那次以後，我又有幾次瞧見她臉上有淚痕，分明她心裡有什麼苦楚。有時我猜想她或許在隱藏什麼罪惡；有時我卻疑心或許白瑞莫待她太嚴酷了。我時常覺得白瑞莫的行爲有些可疑之處，但昨夜發生了一件事，我的疑團總算可以解開了。

這件事看起來似乎很瑣碎。你知道我睡覺時並不會完全酣熟，因爲我時時戒備的緣故，睡時更容易被驚醒。昨夜半夜兩點，我被一陣細微的腳步聲吵醒。那腳步聲從我房門外經過，我因此坐了起來，開了房門，向外探視，我見一個長黑的影子，向甬道那邊走去。那影子是一個男子，走路很輕，拿著一根蠟燭，穿著襯衫和長褲，沒有穿鞋子。我只能瞧見他的背影，但他那高大的身體，早告訴我，他就是白瑞莫，他動作很慢，並且很小心，瞧他那種模樣，分明有犯罪的意味。

我等他走遠，也就悄悄從房間出來，只見他走到了甬道的盡端，但那燭光忽然不見。原來他已走進了一間房間，燭光仍從房門中透出。我知道那裡的幾個房間都是沒有人住，也沒有器具的。他深夜進去，不用說一定有問題。我見那燭光停止不動，顯然他也站住了。於是我也悄悄向甬道走去，走近那房間的門口，就從門縫往裡面偷瞧。

白瑞莫這時彎著身體，站在一扇窗前，手中的蠟燭貼著窗上的玻璃。他側面對著我。我看他眼睛瞧著窗外沈黑的曠地，臉上露出一種有所期待的樣子。他這樣靜站了好久，接著嘆了一口氣，似忽不耐的樣子，接著就把燭光滅掉。我於是急忙回我自己的臥室。過一會兒，那輕微的腳步聲，又從我房門外經過，我知道他回去了。隔了好久，我快要睡著時，又聽到一陣鑰匙轉動的聲音。但我不知道那聲音從什麼地方傳來。這一件事究竟有什麼目的，我還猜想不出。但這屋子裡面一定有什麼隱祕的事情正在偷偷地進行，遲早我們一定可以明白它的底蘊。我現在不以我的猜想擾亂你，因你只要我把事實報告你就好。今天早晨，我曾和亨利爵士談了好久，根據昨夜所見，商議了一項計劃。這一節眼前姑且不談，料想我下次的報告，一定會讓你更感興趣的。

十月十三日，巴斯克維爾爵邸發」

第九章 黑夜的冒險

「親愛的福爾摩斯：

假使你認爲我初到這裡的時候，報告內容太少，那麼，現在我正在這裡努力補足了。此刻這裡的事情已越發緊張而複雜。我上次的報告，說到白瑞莫站在窗口的事情之後便終止。如果我沒有料想錯，我敢說有好幾件事，會讓你覺得驚奇。事情忽然起了變化，完全出乎我的意料之外。在這四十八小時中，有幾件事看來似已明顯得多，但從別的方面觀察，卻又覺得更複雜了。現在我且把事實依次報告，其他的還是你自己去判斷吧！

我在夜裡發現了白瑞莫的事情以後，第二天清早，就走到甬道盡端的房間，瞧察白瑞莫昨夜究竟在做什麼。我見他所站的窗口，是朝西的。這窗的高度超出全屋的任何一個窗口。窗外的樹並沒擋住視線，因此可以瞧到曠地的視野，比別的窗更廣。我想白瑞莫揀選了這一扇窗，勢必他想從這窗裡瞧什麼東西或什麼人。昨夜非常黑暗，我想他一定無法瞧見什麼。我還料想這其中也許有什麼感情的糾葛，因此，他才有這偷偷摸摸的舉動，並且他的妻子也因此不樂。白瑞莫外表也算英挺，他要勾引一個鄉間女子也是有可能的事。那夜我回房以後，又聽見旋轉鎖開門的聲音，大概是他悄悄出去赴什麼人的約會。所以到了早晨，我就從這方面推想，並把我懷疑的方向寫信告知。可是事實的結果，眞是出乎我意料之外。

白瑞莫的舉動究竟有什麼目的，當時我遲

疑不決，我本想把這件事暫時保密，等到有了證據再說。可是我終究忍耐不住，早餐過後，我到書房和亨利爵士見面，就把我昨夜所見的一切情形告訴他。他聽了我的話，並不像我預料的那麼驚奇。

他說道：『我早知道白瑞莫在晚上走動了，但不想說破。我已有兩三次聽到他在甬道中來往走動的腳步聲，時間和你所說的相同。』

我道：『那麼，他每夜都會到那一個特殊的窗口去一次囉？』『也許吧！但我們不妨悄悄地尾隨他，瞧他究竟有什麼意圖。假使你的朋友福爾摩斯也在這裡，他會怎麼處置？』

我道：『我想他一定也會贊同你剛才提議的方法，跟蹤白瑞莫，瞧他有什麼舉動。』他道：『那麼，我們倆可以一塊兒跟在他的後面。』我道：『但他也許會聽到我們的……』

『這個人有些重聽，無論如何，我們應試一下。我們今夜可一塊坐在我的房中，靜待他經過。』亨利爵士說到這裡，搓著他的兩手，似很高興。這分明是因曠地上的生活枯寂無聊，所以便想幹些冒險的舉動，刺激一下。

爵士已和那本來爲查爾斯爵士繪圖樣的建築師通過信了，他又和倫敦的一個工程師接洽過幾次，所以這地方的情形，不久將大有變動，此外還有從普利茅斯來的裝飾匠和家具商。可見我們的朋友對於恢復他家的榮譽一事，有很大的計劃。等到這屋子改建並佈置妥以後，那時他所缺少的，只是一個妻子了。據我瞧來，只要那位少女願意，這問題也不難解決的。因我實在難得看見一個男子對一個女子迷戀的程度是像他對那美貌的鄰居史台柏小姐這樣子的。但是愛的路途往往不是很平坦的。譬如今天就發生了一個阻礙，好比水面上起了意外的波紋。使爵士非常迷惑和惱怒。

我和他談過了白瑞莫的事情以後，他便戴了帽子準備出去，我當然也照樣準備好。

爵士忽用詫異的眼光瞧著我，問道：『華生，什麼？你也要出去嗎？』

我答道：『我出去與否，就看你是否要往曠地上去。』他道：『沒錯，我是要往曠地上去的。』

『那麼，你該知道我負的是什麼使命。我很抱歉，我妨礙了你，但你應記得福爾摩斯怎樣誠懇的交待，叫我不能離開你，尤其是不許你隻身前往曠地上去。』

亨利爵士把他的手按在我的肩上。臉上帶著微笑。

他道：『我的好朋友，福爾摩斯雖然很有智慧，卻不能預知我到了這裡會發生什麼事情。你明白我的意思嗎？我想破壞我這件事的，只有你一個人了。老實對你說，我此刻必須一個人出去。』

這一著使我非常爲難。我當時不知怎樣回答，也不知怎樣對付。他乘我沒有下決定的時候，拿了手杖就出去了。

後來我仔細回想，覺得我聽了他隨意地推託，便放他遠離我的視線，實在是不應當的。又覺得他如果因此遭遇什麼意外的事情，將來我回報這件事，一定也說不過去。我那時越想越覺不安，兩頰上也覺得躁熱羞沮。便想我若立刻出去，大概還追得上。於是就急忙離開爵邸，向梅里披屋前進。

我走得很快，但前面卻瞧不見亨利爵士。不一會兒，便走到了曠地的叉路。我怕他走的路和我的方向不同，就走上一個有黑色石穴的小山，以便向四下瞭望。我果眞瞧見他了。他在曠地的小徑上走，距離我約有四分之一英哩遠。他旁邊有一個女子，大概就是史台柏。他們一邊緩緩地走著，一邊很親密地談著。我見她的手作種種的手勢，顯見她說話非常認眞。爵士靜心傾聽，有一二次搖頭表示不贊同的樣子。我站在大石頭中間，瞧著他們，一時不知道我應該怎麼辦。假使追到他們面前，打斷他們親密的談話，那未免太鹵莽。但我的職務就是時時監護著他，不使他離開我的視線。我又想，這樣悄悄地偷看他們的舉動，似乎不應該。但無論如何，我除了在小山上靜察他們以外，沒有別的更好的方法。我就決定如此，打算事後再向亨利爵士說明白，你也許要說，那時候假使有什麼突然的危險降臨到爵士身上，而我距離又那麼遠，勢必來不及救助。但那時情勢如此，我別無適當的辦法。你設身處地爲我想一想，應該也會原諒我了。

亨利爵士和那女子忽然在路上站定。他們的談話似乎越發出神。在這個當兒，我忽然發覺，偷瞧他們舉動的不止我一人。有一個綠色的東西在空中飄，打亂了我的視線。那綠東西裝在一根桿子上，有一個人執著桿子，正在曠地上前進——那是史台柏，那綠色的東西就是那個捕蝶網。他和那一對情侶的距離，比我近些，並且瞧他的行動，似正朝他們的方向前進。這時亨利爵士忽把史台柏小姐拉到他的身邊，他用手臂圍住她的身體，但她似乎在那裡掙脫。他低下了頭，湊近她的臉龐，她便舉起了一隻手擋拒。過了一會兒，我見他們倆忽然跳開。我便知道他們已受到史台柏的從中阻擾了。史台柏向著他們力奔，那捕蝶網在他們後面不停地搖擺。他到了這一對情侶的面前，揮動手向他們申斥。我不知道他的話內容是什麼，但看起來分明是史台柏在那裡責怪亨利爵士。爵士似向他解說情由，卻讓他格外憤怒，那女子只悄悄站在旁邊。最後史台柏轉過身子，向他的妹妹發令似地招了招手。那女子很害怕地向亨利爵士瞧了一眼，便跟著她的哥哥走了。我見史台柏憤怒的樣子，知道連那女子也受他的責備。爵士站在那裡目送兩人，過了一會兒，才緩緩地朝他先前來的路上回去。那時他低著頭，露出一種懊喪失望的樣子。

這一件事有什麼意思，我不知道。但我覺得很慚愧，我目睹了這一件事，我的朋友卻不知道。於是我從小山上下來，到山腳下便和爵士相遇。他臉上滿著怒紅，雙眉也緊蹙著，正像一個人已到了智窮的時候。

他道：『唉，華生！你從那裡來的？你不是要告訴我，你在我後面吧？』

我把一切的情形告訴他；爲什麼我不能獨留在爵邸中？又爲什麼我跟在他的後面？以及我怎樣目睹一切事情。他聽了之後剎那間目光怒射，但他見了我誠懇的態度，怒氣便立即消失。然後，露出苦笑。

他道：『你應當知道，在這平原上，我一個人出來，不一定會有危險。不料我求婚的事，竟似要勞動全村的人都來瞧視。這樣的求婚，眞是可憐極了！但你在什麼地方瞧見的呢？』

我道：『我就在那個小山上面。』

『那麼，你算是在較後面的地方了。但她的哥哥竟在前面。你是否瞧見他出來干涉我們？』『我瞧見了。』

『你覺得她哥哥是不是瘋了?』『我從沒有看見過他有這樣的舉動。』

『我也相信他並不是如此。在今天以前，我一直認爲他是一個頭腦淸醒的人。但你要相信我，我和他二人中一定有一個人是瘋子。但我有什麼缺點呢?華生，你和我住了好幾個星期了。現在請老實告訴我!我可有什麼缺點，不配做我所愛的女子的丈夫?』『我敢說沒有。』

『他對於我的社會地位，勢必不會有意見，他所以會這樣，一定和我的行爲有關。但他所反對我的究竟是什麼呢?我生平對於我所認識的男子、女子，從來沒有欺騙虧待過。但他竟連她的指尖都不許我接觸。』『他這樣說嗎?』

『他還說過別的話哩。華生，我告訴你，我和她認識雖只有幾個星期。但我第一次見到她，就覺得她是我這輩子在找的人。並且我知道她和我在一塊兒時，也非常快樂。因爲我從她的眼神中看得出來。但她的哥哥總不讓我們有聚談的機會。直到今天，我才第一次有機會，可以和她單獨說幾句話。她很願意見我，但她見我的時候，所談的並不是情愛問題，並且又阻止我說起這個問題。她一再聲言，這裡是一個危險的地方。她在我離開這地方以前，不能安心。我告訴她自從我見到她以後，便不打算離開這裡，假使一定要我離去，只有一個方法，就是她和我一塊兒走。說到這裡，我就表示願意娶她。她還沒有回答，她的哥哥忽向我們奔來，臉上露出出瘋狂的神情。他那時眞是怒極了!眼睛發出怒光。他提出種種問題，問我和那女子幹些什麼?我怎敢這樣冒犯她?說我以爲自己是一個男爵便可以爲所欲爲?那時我聽了這些話，覺得他如果不是她的哥哥，我當然有別的話應付。但他畢竟是她的兄長，因此我把我對他妹妹的愛慕之情明白告訴他，並對他說我希望她妹妹做我的妻子。這句話並沒有使當時的情況變好，因此我也按耐不住，於是我回答他的話也很嚴厲，現在想來，那時她也在場，我未免太過分些。後來他領了她回去，這事就此告一個段落。現在我眞像喪了神志一般，不知怎樣解決。華生，請你告訴我，這究竟是怎麼回事？我一定會感激你的。』

我勉力想出了一兩種解釋，但實際上連我自己也弄不清楚。我想爵士的身分、財產、年齡、品行，和他的儀表等等，都可以算是非常優秀的。除了他家族中那一件不幸的厄運以外，我實在想不出有什麼足以反對他的理由。致於那史台柏並沒有得到他妹妹的同意，就斷然干涉且拒絕，而那女子也默然順服，一點也沒有抗拒的表示，那也是很令人驚異的。可是我們的猜想，到了那天下午，便即終止。後來史台柏自己到爵邸中來，向亨利爵士道歉。他們在書房談了好久，晨間的那一次釁端，就算完全消釋。他並請我們在下星期五，去梅里披屋餐敍，以爲和好的表示。

亨利爵士事後向我說道：『我此刻仍不能說他不是瘋子，今天早晨，他向我奔過來時，眼中的兇光是我無法忘記的。而他又馬上來向我道歉，這一種態度也不是平常人做得到的。』

我道：『他可曾說明他發怒的理由？』『他說他的妹妹是他的性命。這句話是實在的，他能這樣子重視她，我也很高興。他們倆共同生活已久，而他是個寂莫的人，只有妹妹與他爲伴。所以他一想到她將和他分離，便不由得勃然大怒。他說他本不知道我和她如此親密，所以當他突然瞧見我們倆的情形，便覺得我要將她從他的手中奪去，他大吃一驚，一時所有的言語舉動都不能控制。他對於發生的事情感到非常抱歉，並已明白他若想終身佔有像她妹妹這樣美麗的女子，實在是太愚蠢而自私了。假使她已必須和他分離，他也寧可讓她嫁給像我這樣的鄰居。但這件事對他實在有重大的影響，因此他需要時間調適。他說我如果允許把這件事暫擱三個月，並且在這時期中只和她做普通朋友，不涉及愛情，那麼，他這方面的反對，可以完全取消。這一點我已允許了，所以這件事就解決了。』

這樣，我們的小小疑問總算解決了。就像我們在泥沼中行走，此刻我們的足尖已接觸了一些地面，我們已知道史台柏不願他妹妹談戀愛的緣故了。現在我要從這一個亂線球中，另抽一個線頭了，就是晚上的哭聲——淚痕滿面的白瑞莫太太，和那管家白瑞莫夜裡偷往西窗那邊去的疑問等等。我親愛的福爾摩斯，你應恭喜我，並應向我說，你派我做代表，並把重任委託我，我並沒有使你失望。因爲這幾個問題，我費了一夜的工夫，便都解決了。

我說一夜工夫，有些不符事實。其實我們花了兩夜，不過第一夜我們完全白廢，不曾做什麼事情。那夜我坐在亨利爵士的房裡，等到將近清晨三點鐘。但除了樓梯間的鐘聲外，並沒有其他的聲音。我們枯坐了一夜，結果都倒在椅子上睡著了。但我們並不因此灰心，決定第二天晚上再試。到了第二天晚上，我們把燈光弄暗了，坐著吸煙不作聲。時間慢得令人不敢相信。但我們仍耐性守著，心中都抱著一種期望，好像一個獵人守伺在他的陷阱旁邊，一心希望那獵物能落進去一般。接著，時鐘又敲了兩下，我們幾乎要失望第二次了。忽然，我們倆同時從椅子上坐直了身子，疲倦的感官，霎時又都振作起來，我們聽到甬道的地板傳來因行走而發出的一陣細微聲。

我們聽見那聲音偷偷地經過，直到走遠，方才不見。於是爵士便起身開了房門，我們走到外面，悄悄跟上前去，那時前面的人已走入黑暗的甬道盡端。但藉著他手中的燭光，我們瞥見他走進了先前進去的一室。我們在暗中摸索，舉步時又十分小心，必先把我們的腳在地板上試一下，以免踏上去咯吱作聲。我們都沒有穿靴子，但那古老的地板，測試時似很堅實，等我們把全身的重量加上去時，卻又不免發出聲音來。有時我們覺得發出來的聲音，必已被那人聽見了。可是這個人耳朵有些重聽，並且全神貫注在所做的事上，竟完全沒有聽見。後來我們走到了門口，從門縫往內窺視，見他正俯身站在窗前，手裡執著蠟燭，灰白的臉，正一心一意地對著窗上的玻璃。這種情景，和我兩夜前所見的完全相同。

我們的本意，並不準備當場揭破白瑞莫的祕謀。但那男爵是一個直爽的人，馬上就走進房裡，白瑞莫一見，突然跳起身來，嘴裡發出低微的驚呼聲，站在我們的面前，渾身顫抖。他的臉色灰白，黑色的眼珠，滿佈著恐懼和驚異，朝我和亨利爵士二人瞧來瞧去。亨利爵士問道：『白瑞莫，你在這裡做什麼？』

『爵士，沒有什麼。』他因爲驚怕過度，幾乎說不出話。他手中的蠟燭不停顫動，因此燭光裡映出來的幾個影子，也在那裡跳上跳下。他又道：『先生，我爲了這扇窗來的。我夜裡總要瞧瞧各窗是否拴好。』亨利爵士道：『你連樓上的窗，也要這樣子查察嗎？』

『正是，爵士，不論那一扇窗，我都要仔細查察的。』

亨利爵士嚴肅地道：『白瑞莫。你最好把這件事的眞相說出來，你說吧！不要撒謊！你在這窗口做些什麼？』

那人只是向我們呆瞧。我見他的手指握放不定，似乎他這時正不知所措。

他答道：『爵士，我並沒有做什麼害人的事。我只拿著一根蠟燭，靠近那窗。』亨利爵士道：『你爲什麼要將蠟燭放近窗口呢？』

『亨利爵士，你不要問我，不要問我。我告訴你，這不是我的祕密，但我不能說出來。這事如果只關係我個人，與別人不相干，我也決不會隱瞞你的。』

我忽然起了一個念頭。這時白瑞莫已將蠟燭放在窗檻上面，我就把蠟燭取起。我道：『他大概是要以這蠟燭做一種信號。現在我們試瞧有沒有回音。』

於是我執著蠟燭，照著他先前的模樣，放近窗口，同時向窗外的黑暗中瞭望。那時月亮藏在雲後，隱約有些微光，可以瞧見那黑色的樹蔭，和略爲淺淡的曠地。忽然，我驚呼了一聲，因我看見有一星微光從那沈沈的黑幕中透出，那光靜止不動，恰映在窗口的中心。我呼道：『這就是回信了。』

那管家揷口道：『先生，不是，不是。實在什麼事也沒有，先生，我老實說……』

爵士大聲道：『華生，你把蠟燭移開窗口！瞧啊！那外面的光也移動了。』他怒聲向白瑞莫道：『你這流氓！你現在還敢抵賴，這不是信號嗎？快說出來！你外面的同黨是誰？究竟有什麼詭計？』

那人的表情，忽從驚駭變成強悍，他答道：『這是我的事，不是你的事。我不願說。』爵士道：『那麼，你應立刻辭去你的職務。』『爵士，好，你要我走，我可以馬上就走。』

『那麼，你此次離去，是不名譽的。你自己也應慚愧，你的家族和我的家族，在這屋子已相處了一百多年，現在你卻弄出什麼詭計來傷害我。』

『不是，不是，爵士，這不會傷害你的！』這一句話是一個女子說的。我回過頭去，忽見白瑞莫太太站在門口。她驚恐的樣子，比她的丈夫更加厲害。她高大的身子披著一塊披肩，穿著一條短裙。若不是她臉上顯出那種驚怖的表情，她的樣子未免有些可笑。

白瑞莫向她說道：『依莉莎，我們要走了。這件事結束了。你趕快去把我們的東西收拾收拾。』

那婦人道：『唉，約翰，是我連累你了？亨利爵士，這是我的事——這完全是我的事。他做這事，全是爲了我。那是我叫他做的。』

爵士道：『那麼，快說出來。究竟是爲了什麼？』婦人道：『我那不幸的弟弟在曠地上要餓死了。我們實在不忍坐視不救。這蠟燭的光，是一種信號，告訴他食物已備好了。外面的光，就是指示他在什麼地方，以便把東西送去。』『那麼，你的弟弟是……』『就是那個逃犯——爵士，他就是那個叫做賽爾丹的罪犯。』

這時白瑞莫也說道：『爵士，這是實話。我早說這不是我的祕密，但不能告訴你，現在你明白了。就算這裡面有什麼計謀，那決不是要傷害你的。』

這一番話，就把白瑞莫每夜的祕密舉動解釋明白了。亨利爵士和我二人向那婦人瞧著，心中暗忖像這樣一個莊重的婦人，難道眞的和那最殘暴的兇犯是同血統的人嗎？

那婦人似覺察了我們的懷疑。便道：『先生，這是實話。我本姓賽爾丹，他是我的小弟。他幼小時，我們太縱容他，一切任由他，後來他便養成了任意欲爲的驕氣，覺得這世界上一切事情都可以憑著他的意思做去。後來他長大了，交識了不良的朋友，彷彿惡魔闖進了他的心房，他到處爲非作惡，並且把我們家族的名譽推入了污泥中，我母親也因此傷心而死。他的罪越犯越多，越陷越深。但因爲上帝的慈悲，才把他從絞台上救了回來。可是我仍然覺得他只是一個鬈髮的小孩子。他幼小時，我抱他戲

要的情狀還留在我的腦中。爵士，你應該能體諒一個年長的姊姊對於幼弟會有這種心情的。他所以越獄逃出，大概就知道我在這裡。一天夜裡，他到我們這裡來，饑餓又疲倦，又怕獄卒們的追緝。你想我們可能拒絕他的求助嗎？我們領他進來，給他食物，又替他擔心。後來你回來了。我弟弟想，在風聲不定以前，還是在曠地上暫匿，比較妥當些。所以他就在曠地藏身，我們每隔一夜，總用燭光在窗口照一下，以便確知他是否仍在那裡。假使有了回信的燈光，我的丈夫就把麵包和肉食送出去給他。我們天天希望他能夠脫身遠去，他假使一天留在這裡，我們就不能丟棄他不顧。這是所有的事實。我是一個誠實的基督徒，決不敢說一句謊話。現在你可以知道，這件事如果有什麼處分，應由我承受，不應使我的丈夫受屈。因爲他的

一切舉動，完全都是爲了我的緣故啊！』

那婦人說話的聲音懇切而富感情，任何人聽了都要覺得感動的。

亨利爵士問道：『白瑞莫，這是眞的嗎？』

『爵士，是眞的，沒有一個句謊話。』

『既然如此，你替妻子受過，我也不能怪你。你把我剛才說的話忘了吧！你們倆可以回你們自己的房間去。這件事我們明天再談。』

他們夫婦倆走後，我們又向窗外瞧視。亨利爵士將窗開了。深夜的寒風直撲我們的臉龐。我們見遠遠的暗處，有一點微光仍留在那裡。

亨利爵士道：『想不到他這樣膽大。』我道：『我想那光也許特別安排過的，只有這裡可以瞧見。』『也許如此。你想有多遠？』『我想應該在參差不齊的小山附近。』『大概在一兩英哩之內吧？』『一定是，不會再遠了。』『我想白瑞莫既要把東西送到那邊去，距離一定不會遠的。現在這個惡漢還在那裡等待呢！華生，我想出去把這個人捉住。』

我也有同樣的想法。這件事白瑞莫夫婦並非出於本意信任而告訴我們。他們的祕密是被迫吐露的。且這人實在是社會上的危險人物，照他這樣的行爲，實在不應有憐憫和恕赦。我們若能趁此機會，把他移送法辦，那也是盡我們的本分罷了。假使我們束手旁觀，像他這樣兇暴殘惡的性情，一疏於防備，就要受到他的傷害。例如我們的鄰居史台柏，每一夜都有被他襲擊的可能。也許因此意念，才使亨利爵士發生了這樣的冒險念頭。

我道：『我也去。』亨利爵士道：『那麼，帶了你的手槍，穿上你的靴子，我們越快越好，也許這個人會熄滅燭光遠去。』

五分鐘內，我們已出了爵邸向前進了。我們從黑暗的樹徑中經過，秋夜的寒風，吹動那枝頭的樹葉，瑟瑟作聲。空氣中充滿了濕氣和朽爛的氣味。雲層後面的月亮，不時想探頭出來，烏雲跑得很快，把月光掩住。等我們走到曠地上時，已細雨濛濛了。這時那一點微光，仍舊照耀在我們的前面。

我問道：『你帶了武器嗎？』『我有一根獵杖。』『這個人據說是非常兇猛的，所以我們應迅速走近。趁他不備，突然上前逮捕他，讓他來不及抵抗。』

亨利爵士點頭道：『不錯，華生，你想福爾摩斯對這事，會怎麼說？你認爲那句「在黑夜中惡勢力伸張」，究竟有什麼意思呢？』

忽然，曠地上發生奇怪的呼聲，彷彿在回答他的問題一般，那就是先前我在格林朋泥潭附近聽過的。這聲音隨風而來，在深夜沈靜的當兒，越覺得慘厲可怖。那聲音也像上一次一般，起先低沈且長，接著變成尖銳，最後又漸漸地消失。這聲音起滅不止一次，空氣中差不多都被這淒厲刺耳的怪聲所充滿。亨利爵士忽拉住了我的袖子，臉色大變，分明也十分驚怖的樣子，呼道：『天啊！華生，那是什麼？』

我道：『我不知道。這是曠地上特有的一種聲音，我之前已經聽過一次了。』

那聲音消失後不再繼續。我們斂神傾聽，卻靜悄悄的沒有什麼聲音。爵士道：『華生，這就是怪狗的嗥叫聲。』

我一聽他的話，身體中的血液都變冷了，因爲他的聲音告訴我，他的心已被恐怖所制服了。他又問道：『他們說這聲音是什麼呀？』

我道：『你說的他們指誰呀？』『就是那近村的人們。』『唉，他們都是沒有智識的人，他們的話，你何必在意呢？』『華生，你告訴我，他們究竟說這是什麼聲音？』

我疑遲了一下，但覺得不能不答。便道：『他們說這是巴斯克維爾怪狗的嗥叫聲。』

他呻吟了一聲，好幾分鐘靜默無語。最後，他說道：『這果眞很像是狗的嗥叫聲。但我想這聲音還在數英哩以外。』我道：『這聲音從那裡發出來的，卻不容易指出。』

『這聲音因風而起滅的。那一邊不就是格林朋泥潭的方向嗎？』『是啊。』

『那麼，這聲音就從那一面來的。華生，你認爲這是狗嗥叫的聲音嗎？我不是一個孩子，你不妨實說。』

『我上次聽見的時候，史台柏和我在一塊兒。他說這也許是怪鳥的鳴聲。』

『不是，不是。這一定是狗嗥。我的上帝！難道那傳說的故事是眞的嗎？莫非我當眞處於危險的地方？華生，你相不相信這事？』『我決不相信。』

『你在倫敦的時候儘可譏笑這件事沒有意義，但此刻在黑暗的曠地上，聽見了這樣的聲音，該又另當別論了。我記得在我伯父的身旁，曾發現過狗腳印，這一點也符合了。華生，我自問不是一個膽小的人，但這聲音差不多已使我的血液凝結。你試摸我的手！』

他的手冷得像白石一般。我道：『到了明天，你就可恢復的。』他道：『我想那聲音再也不能從我的腦海中驅逐出去了。你想此刻我們應該怎樣？』我道：『我們要回去嗎？』

『不，我們是出來捕捉那人的。這件事總

要做的。我們正要追蹤一個逃犯，可是那怪狗是不是也追在我們後面。快來！即使那些鬼怪都散開在曠地，我們也要去瞧個究竟的。』

我們在黑暗中一高一低地前進，向四周一望，都是些黑暗恐怖的小山。但那一點黃光，仍在前面亮著。在黑夜中計算光點的距離是最難的。有時覺得那光遠在地平線的盡處，有時卻覺得和我們只有數碼之隔。後來我們更清楚瞧見那光點，知道已和我們距離不遠。那是一根蠟燭，插在一塊石頭的縫穴之中，四周都有石塊掩蔽，故而不受風吹，並且除了巴斯克維爾爵邸的方向以外，其它地方完全瞧不見燭光。那時我前面有一塊大石，恰巧把我們的行動掩住，我們就躲在石後，仔細瞧那信號的光。這真是一種奇景。因在這曠地中，四周毫無生氣，卻有這一點黃光從石縫中放射出來。

亨利爵士附耳向我道：『我們此刻怎麼辦？』我道：『我們姑且在這裡等。他大概就在燭光的附近，我們也許能夠瞧見他的。』

我的話還沒有離口，我們倆便已瞧見他了。在那插蠟燭的石縫後面忽有一個恐怖的黃臉探出來。那臉滿現著兇惡的表情，蓬亂的頭髮、刺蝟似的濃髯，眞像一個穴居的野人。我們從燭光中瞧見他一雙小而狡猾的眼睛，向左右兇狠狠地瞧著，彷彿一隻猛烈而狡猾的野獸，因爲聽見獵人的腳步聲，出來探頭瞧視。

這時一定有什麼東西，引起了他的疑心。也許白瑞莫來時，另有什麼祕密暗號，我們並不知道；或是這人已因某種緣故，覺得這事已出了岔子。因我瞧見他兇惡的臉上，露出害怕的神情。在這時候，他隨時有吹滅了燭光向黑暗中逃去的可能，所以我突然地向前跳去，亨

石縫後忽有一個黃臉探出來

利爵士也照著我的樣子做。那逃犯詛咒了一聲，便用一塊石頭向著我們的藏身大石上飛擲過來。當他回轉身子，拔腿飛奔的時候，我看見他是一個身材高大的人，瞧他飛奔的樣子，眞是非常矯健。這時候恰巧雨停了。月光從雲隙中透出。我們追過了小山頂，那逃犯卻已從山的另一面逃下。他舉步迅速，就像山羊一般地靈活。我的手槍本來可以射遠，在當時的情形，我儘能開槍阻止他的奔逃。但我帶槍的意思，原是防衛我自己被人襲擊時用的，並不準備打一個沒有武器正在逃亡的人。

我和爵士二人速度也不差，可是我們竟追不上他。我們起先還很淸楚地在月光中見他向前奔逃，後來距離越遠，就只見那人在前面的亂石中奔竄，變成了一個小小的黑點。我們奔追了好久，腳都覺得酸了，而我們和他的距離卻越來越遠。最後，我們站住了，坐在兩塊大石上，不停地喘息，眼見那逃犯逐漸消失。

就在這時候，竟有一件奇怪而出於意料的事情發生了。我們本已絕望，不想再追那個逃犯，便從大石上站起，打算回爵邸裡去。月亮這時破雲而出，漸漸地向右方沈下。遠處有一座小山，恰映在這殘月之前。我忽見在這月亮的背景前面，現出一個人影，站在那小山頂上。福爾摩斯，你不要以為這是我的幻覺。我老實

告訴你，我生平從沒有瞧過比這更清楚的東西。據我所見，那是一個高瘦的人。他站在那

一個人影站在那小山頂上

裡，兩腳略爲分開，手臂卻互相交疊，頭向前俯，似乎正面對著那廣漠的曠野和磋砑的亂山，兀自深思。他似乎就是這曠地上的鬼靈！這一定不是那個逃犯，因爲那逃犯消失的地方，和這人站立的小山距離很遠。況且這人的

身材也和逃犯不同。我一見他，不禁驚呼了一聲，指給亨利爵士瞧。但在我轉身握住爵士手臂的時候，這個人竟不見了。那遠遠的小山，仍映在遠月的下邊，但山頂上卻已不再見那個靜默不動的人影了。

我想走到小山那邊去搜索一下，但距離很遠，並且爵士的神經也因爲先前的怪聲而心神不寧。他既已想起了他家族中可怕的故事，自然沒有再幹第二次冒險事情的可能了。他並沒有瞧見那小山頂上的人影，所以我所感受的奇怪影像，他不能領會。他說道：『那一定是獄卒。自從那犯人越獄以後，獄卒們便常在曠地上防守。』爵士的解說也許是對的。但我卻覺得必須有更確切的證據才能相信。今天我們一定要通知王子鎮監獄，告訴他們往那個方向追緝他們的逃犯。只是我們當時沒有親自把那人

捉住，實在是一件可惜的事。這就是我們昨晚的冒險事情。我親愛的福爾摩斯，你讀了這篇報告，想必能夠瞭解這事的眞實情形。我覺得我向你報告的，難免有些不切實用的地方，但我認爲還是把一切事實讓你完全明白，然後你再自己抉擇比較好。至於白瑞莫夫婦方面，我們既已明白了他們舉動有何目的，在這案子上至少也可以解除一重障礙。但那神祕的曠地，和那些奇怪的居民，至今仍無從窺測。我希望下次的報告，在這點上能有些線索。假使你能親自到這裡來，那就太好了。

十月十五日，巴斯克維爾爵邸發」

第十章　白瑞莫的話

我引用當時寄給福爾摩斯的報告，記錄了兩篇。現在我的記述方法，必須更換。我重新把我記憶的事追寫出來，又參考我當時寫的日記，摘取幾件重要的事實。現在我姑且從在曠地上追那逃犯，和見到一個奇怪的人影的事情開始，以便和上文連接。

十月十五日，這是一個多霧且下著細雨的日子。爵邸的四周似被雲氣所包圍，有時雲氣上昇，才看得見那曠地上的小山被雨水洗滌得閃閃發光。這時屋外屋內，都呈露一種愁慘的氣象。亨利爵士因爲夜來的驚惶，仍鬱鬱不樂。我心裡覺得有一個重擔——似乎危險隨時會發生。但這危險卻無從捉摸，便越發覺得恐怖。我這感覺難道全無根據嗎？我想起種種發生的事情，顯然有什麼詭祕的力量，正努力向我們包圍。那老爵士的死，和那故事中所傳說的情形竟符合。鄉人們也一再聲稱，在曠地上見過那奇怪的東西，我自己又兩次親耳聽見那奇怪的聲音，這聲音實在像狗嗥。這樣的事實，若說是超自然的，那真是不可信，也不可能的。一隻鬼靈的怪狗，卻留下實在的腳印；他的嗥叫聲又迴盪在曠地之中，這傳說當然不足以相信。史台柏大概已相信這迷信，毛廸麥也有同樣的情形。但我還有些常識，不相信這樣的事。在這輩無智的鄉民們嘴裡，不但確說有一隻怪狗，還將那狗嘴和眼睛裡的火燄，描繪得更可怕。這種神話，福爾摩斯當然也不會相信。但事實是事實，我明明在曠地上聽過兩次怪聲。

也許是眞有一隻活的大獵狗，但這狗藏身在什麼地方？他的食物從那裡來呢？怎麼白天都沒有人瞧見？所以這樣的解說與事實也不合。除了這怪狗以外，在倫敦時，坐車子跟蹤，和發信警告他們的人，都可說是破除迷信的有力證據，但是這人可是爵士的朋友，爲了保護的目的而善意警告爵士？或者是爵士的仇敵呢？這個朋友或仇敵，此刻又在什麼地方呢？他是否仍留在倫敦？或已跟到這裡來了？他可就是我在小山頂上所見的那個人呢？

對於那個山頂上的人，雖然只有匆匆一瞥，但我敢發誓所見全部屬實。在這裡我從未見過他，因爲這裡的鄰居我大多都已見過了。那人的身材比史台柏高，卻又比佛蘭加瘦，白瑞莫似乎和他比較相像，但我們離邸時，他留在邸裡，我確知他決不會跟著我們出來。這分明是有一個陌生人，暗地監視著我們，好像在倫敦時尾伺我們的那個人一般，我們竟無從擺脫他。假使我能捉住這一個人，那麼，我們種種的困難，大概都可以有結果了。現在我應盡我的能力，向這方向進行。

我原本想把我的一切計劃告訴亨利爵士，但一轉念，又覺得我還是少說爲妙。他沈默而頹喪，他因爲聽見曠地上的怪聲以後，神經上受了很大的刺激，我實不應再增加他的恐懼。我打算依自己規畫的步驟進行。

今天早餐的時候，我們又發生一件小小的事情。白瑞莫請亨利爵士出去說話，於是他們就到書房密談。我坐在彈子房裡，好幾次聽見他們的談話聲音提高，我便知道他們所談論的是什麼事。過了一會兒，爵士開了書房的門，叫我進去。

爵士向我道：「白瑞莫在抱怨我，他認爲我們聽了他說出來的祕密，便到曠地上去追捕賽爾丹，實在是很不應該。」

那總管站在旁邊，臉色灰白，但仍非常鎭定。

他道：「爵士，如果我說的話太失分寸，請你原諒。但今天早晨，我聽到你們兩位從曠地上回來，就知道你們是去追捕賽爾丹。是我把祕密告訴了你們，所以害他現在更危險了。」

爵士道：「這件事假使是你自願告訴我們的，那自然另當別論。但這是你——或可說你的妻子——被迫在不能掩飾的情況下才說出來的啊！」

「亨利爵士，我實在想不到你們竟會有這樣的舉動。」

「這個人是一個對公衆有危險的人物。那曠地上有不少孤立的人家，他隨時有闖進去作惡的可能。你只要瞧到他的臉，就知道我們的話不假了。譬如史台柏先生的家裡只有他一個壯丁可以抵禦，剩下的都是女子和老弱。所以在他被關禁以前，任何人都是很危險的。」

「爵士！他決不會侵擾人家的。你可以相信我這句話，他在這裡決不會再侵害任何人了。亨利爵士，我老實告訴你，再過幾天，準備的手續辦妥以後，他就要往南美洲去了。瞧在上帝的分上，求你不要報警。讓他此刻仍留在曠地上，獄卒們已放棄追緝的任務了。他儘可以再躲藏一陣子，等到開船的時間到了就動身。況且你若要報警，勢不能不把我妻子和我的名字牽連進去。爵士，我求你不要報警。」

爵士道：「華生，你認爲呢？」我聳著肩，答道：「假使他眞的能夠平安脫離此地，那麼，鄉民也不致再擔憂了。」

亨利爵士道：「假使他在動身遠離以前，又向什麼人行劫，怎麼辦？」

白瑞莫道：「爵士，他決不會再做這種瘋狂的事了。我們已供給他一切所需要的東西。他如果再犯罪，不就宣露他藏匿的地方了。」

亨利爵士道：「這話不錯，那麼，白瑞莫……」白瑞莫插口道：「爵士，上帝祝福你。我心中不知怎樣感謝你，假使他再被捉住，那就要致我妻子於死地了。」

爵士道：「華生，我們這種舉動不就是在幫助一個罪人脫逃嗎？但事情既然如此，我勢不能向警方檢舉這個人。這件事就這樣結束吧。好，白瑞莫，你去吧！」

那管家說了幾句感謝的話，便轉身退出。忽又遲疑了一下，轉身進來。

他道：「爵士，你待我們這樣好，我覺得不能不盡我的心力報答你。亨利爵士，我還知道一件事，論理我應當早些說，但這事是我在驗屍之後好久方才發覺的。我還沒有和任何人提過。這事關係著可憐的查爾斯爵士的慘死。」

男爵和我二人不由得都站起身來。男爵問道：「你知道他是怎樣死的？」「不，爵士，我不知道。」「那麼，是什麼呀？」「我知道他在那個時候到那通曠地的門口去，其實是去會見一個女子。」「會見一個女子！他？」「正是，爵士。」「這個女子的名字呢？」「爵士，我不知道她的名字。但我能告訴你，她名字的縮寫字母是L. L.兩個字母。」

「白瑞莫，你如何知道這事的？」「那天早晨，老爵士得到一封信。他平日的信本來就很多的。因爲他的名聲很大，人家都知道他仁慈，所以人們有了急難，往往都會到他這裡來求助。但那天早晨，恰巧只有那一封信，所以我接信的時候，就更加注意了。那信從庫姆・德雷西寄來，是一個女子寫的。」

「啊，之後怎麼樣？」「爵士，我當時原不在意，後來若不是我妻子發現，我當然也不會再想起這事。在數星期前，我妻子在查爾斯爵士的書房整理——這是他死後的第一次整理——忽瞧見壁爐中有一堆燒過信灰。那信的大部分都已變成灰燼，但下面有一小部分雖已燒過，卻還顯現著幾個灰色的字。這兩行字，很像是附加在信尾的，說道：『你是一個上流的紳士，請你把這封信燒毀了。並請你十點鐘時到門口來。』那下面就是L. L.的署名。」

「你可曾把寫著字的紙灰保存下來？」「沒有，爵士，我們拿起來時，紙灰已粉碎了。」

「查爾斯爵士可曾再接到過同樣筆跡的信？」

「爵士，我對於他的信件，從來都不注意的。這封信若不是單獨送來，我一定也不會注意到。」

「那麼，你知不知道那L. L.是誰？」「不，我就像你一樣，毫無所知。但我認爲假使我們能夠找到這個女子，那麼，我們對於查爾斯的死因，必能更明瞭些。」

「白瑞莫，你既已知道這樣一個重要的線索，爲什麼隱藏著不告訴我？」

「爵士，因爲發現了以後，我們自己的困難便接著發生了。還有一點，我們都很喜歡查爾斯爵士，不能不想到他對待我們的厚意。我們若把這件事聲張出來，在實際情況下未必有益於我們可憐的主人，況且這裡面又牽涉一個女子，那麼……」

「你可認爲這樣做將會傷害他的名譽？」

「雖不如此，我總覺得無益於事。但此刻我因你待我們這樣好，我若不把我們所知道的完全告訴你，那我未免要感到不安。」「很好，白瑞莫，你去吧！」

那管家出去以後，亨利爵士轉頭過來，向我說道：「華生，你對於這新發現的事，有什麼意見？」我道：「我覺得這件事竟越弄越模糊。」

「我也這樣想。但我們若能查明了這位L. L.，這件事便可以完全明白。我們已得到這麼多了。我們知道有一個人明白這裡面的事實，只要我們能夠找到她就可以了。你想我們應怎樣著手？」

「我認爲應立刻把這件事讓福爾摩斯知道。這可以做他所要尋覓的一條線索。我確信他得了這個信息，必會立刻到這裡來了。」

我回到我自己的房間，就把早晨的談話報告福爾摩斯。我覺得他近來很忙，因爲從貝克街寄來的信札，稀少而簡短，對於我的報告，毫無評語，也沒有關於我任務上的指示。我知道他全部的精神一定都貫注在那件恐嚇案上。但這件新發生的事，勢必可以引起他的注意，和引起他的興趣。我很希望他能夠儘早到這裡來。

十月十六日——今天一天都是傾盆大雨，簷角和藤蔓上面滴瀝不絕。我想起那荒寒無蔽的曠地上的逃犯。可憐的人啊！無論他犯什麼罪，此刻他所忍受的也儘夠抵贖了。我又想起另一個人，就是在月光下映現的人，他也許就是在馬車裡面的那個人。這個站在黑暗中監視的人，此刻可也在曠地上出現嗎？到了傍晚，我穿了一件雨衣，在那陰沈的曠地上閒步。雨點打在我的臉上，耳邊風聲呼呼，充滿了陰鬱的氣氛。求上帝幫助那些在泥潭旁行路的人吧！因在大雨之後，這乾地就會變成泥潭了。我遠望那個人影站立過的小山，隙裂的山頂被雨水不斷沖洗，一朵朵的烏雲，也不時從隙口裡流穿迴繞。在我的左邊，巴斯克維爾爵邸的兩個塔尖從樹叢中突出，但有時也被雲氣所掩，消失不見。這兩個塔，彷彿表示是曠地上惟一有人跡的地方，此外只見那小山坡上，一處處先民的石屋罷了。我仔細瞧視，再也沒看見我上次所瞧見的那個人的影蹤。

我回去時，忽和毛鉮麥醫生相遇。他坐著馬車從福爾密村駛來，他對於我們非常注意，幾乎沒有一天不到爵邸裡去瞧我們的情況如何。他請我坐上他的車，要送我回宅邸。我覺得他近來因爲他的獵犬失蹤了，非常不樂。那隻狗去曠地後竟沒有再回來。我說了幾句安慰他的話。但我一想到那馬陷進泥潭裡的情景，我便料想他的狗不會再有尋回的希望了。

我們車子在那泥濘的路上行進，我又說道：「毛鉮麥，我問你，在這附近，你不認識的人不多吧？」

毛鉮麥道：「我不認識的人實在不多。」

我道：「那麼，你可不可以告訴我，有沒有一個女子的縮寫名字是L. L.？」

他想了好幾分鐘，答道：「沒有，那裡有幾個吉普賽人，和幾個做工的苦力，我都不是很熟悉。但那些上流人和農夫們我都知道。我實在想不出有誰是叫這名字。」他停了一停，忽又道：「且慢，有個羅拉．萊恩斯，她的縮寫字母就是L. L.。但她住在庫姆・德雷西。」我問道：「她是誰？」他道：「她是佛蘭加的女兒。」我道，「什麼，可是那怪僻老人佛蘭加嗎？」

「正是，她嫁給一個畫家，名字叫萊恩斯。他到這曠地上來作畫的，但這個人品行不好，已將她遺棄了。但據我看來，這件事也不能說完全是一方面的錯誤。她的父親因爲她嫁給萊恩斯的時候，沒有得到他的同意，故而羅拉嫁後，老人和她的感情很壞。此外也許還有別的理由，使夫婦間發生了嫌隙，她既得不到父親的諒解，又遭受到丈夫的薄情，實在是很可憐的。」

「那麼，她靠什麼生活呢？」「我想老佛蘭加多少資助一些。但他自己的訟事已糾纏不清，想必不能多加幫助。她的境遇如此，有許多人知道了她的情況，都設法幫助她，讓她得到穩定的生活。史台柏幫過她一次，查爾斯爵士也有過這樣的舉動，我也曾推薦過她做些打字的工作。」

他想知道我查問的緣由，我只約略告訴了他幾句，並不完全說明。因這件事我覺得不能讓任何人知道。第二天早晨，我要往德雷西去尋訪這一位羅拉・萊恩斯太太，希望能夠在這一件深祕幻複的案子中，找出一線光明。我自己覺得我談話時有一種避重就輕的本領，所以當毛廸麥追問這事的情由，讓我難於回答的時候，我便反問他佛蘭加的頭顱究竟屬於那一種。這一招他果眞被我瞞過，於是他一路上的談話，都圍繞著生理解剖學的問題，沒有再追問那件事情。因此，我自覺我和歇洛克・福爾摩斯相處了幾年，總算沒有白費啊！

在這一個陰暗的日子，我還有一件事情可記。那就是我和白瑞莫的談話，使我又得到一個線索。毛廸麥在爵邸中晚餐，餐罷以後，他和男爵鬥紙牌消遣，那管家把我的咖啡送進書房時，我就乘機問他幾句。

我道：「你的親戚離開這裡了嗎？或是此刻還在曠地上呢？」

白瑞莫道：「先生，我不知道。我很希望他能夠離開這裡，因爲他在這裡，只會讓我們感到難過。我在三天前，把食物送給他後，至今還沒有聽到他的消息。」

「那麼，你最後一次送東西去時，可曾瞧見他呢？」

「沒有，先生，但我後來從那地方經過時，我送去的食物已不見了。」

「那麼，他那時已經沒有留在那裡了？」

「先生，我也覺得如此。否則，那東西一定是被另一個人取去了。」

這時我正將咖啡杯送到嘴邊，一聽這話便停住了，向白瑞莫呆瞧。問道：「你知道另有一個人？」「正是，先生，曠地上確實另有一人。」「你瞧見過他？」「沒有。」「那麼，你又怎樣知道他的呢？」

「約在一星期前，賽爾丹告訴我的。這個人也藏匿在曠地上，但他並不是一個罪犯。這就是我所知道的。華生醫生，我老實說，這件事我實在覺得很不安。」他說這話的時候，忽顯露出一種很懇切的神情。

「白瑞莫，你聽我說！我若不是爲了你的主人，對於這樣的事當然不願意加以注意。我到這裡來沒有別的目的，就是要幫助你的主人的。你老實告訴我，爲什麼你覺得不安呢？」

白瑞莫躊躇了一會兒，好像在懊悔他偶然的失言，或是他覺得一時不容易用言語表達他的心情。

最後，他以手指向那面向曠地的窗口，大聲道：「先生，我敢確定，那裡一定有什麼詭祕的舉動和恐怖的陰謀。因此，我很希望亨利爵士能夠回倫敦去。」我道：「但你這想法，又有什麼根據呢？」

「查爾斯爵士暴死的事情已是很恐怖了，加上夜裡發生的怪聲。因此在這曠地上，日落以後，無論花多大的代價，誰也不敢經過的。還有那個匿伏在曠地上的人，分明在那裡監視和等待！他等待什麼呢？究竟有什麼用意？我敢說這樣的事情，一定對巴斯克維爾家裡的人不懷好意。所以我打算等亨利爵士新雇的僕人們一到，我們就準備離開這裡。」

我道：「但這曠地上的怪客，究竟是什麼樣子的呢？你可多告訴我一些嗎？賽爾丹怎麼對你說的？他可知道那人藏在什麼地方，或在這裡做什麼？」

「賽爾丹見過他一兩次，但那人很詭祕，絲毫不露痕跡。起先賽爾丹以爲他是一個警探，但不久便知道那人也有什麼顧忌似的，不敢露面。據賽爾丹想，那人是個上流紳士，但不知道他究竟在這裡幹些什麼。」

「這個人藏在什麼地方呢？」「他說那個人住在山坡上廢棄的石屋之中。」

「但他的食物是如何獲得的？」「賽爾丹看到那人有一個小童，爲他準備一切東西。我想他所需要的東西，一定是從庫姆・德雷西購買的。」「很好，白瑞莫，我們以候再談吧。」

白瑞莫出去以後，我走到他指的窗口，從

那雨點淋漓的玻璃上望出去，隱約見烏雲流走，還有一片黑漆漆搖擺不定的樹蔭。這樣的夜裡，在屋子中已覺得非常淒涼，那麼，在那曠地的石屋中的感受如何呢？這個人究竟有什麼怨恨，竟不惜忍著困苦，在這樣的時候，躲藏在這種地方？他這樣忍苦受難，又有什麼深切的目的？那曠地上的石屋之中藏著這疑案的關鍵，而我竟無從測度。我發誓我一定要在明天一天中，盡我的能力，揭穿這案子的疑幕。

第十一章　曠地上的怪客

前章是摘錄我的日記，我已把故事記到十月十六那一天。從這一天以後，這些奇怪的事，都趨向歸結一途了。這幾天發生很多事情，我的印象也很深刻，因此我不必參考當時的紀錄，仍能夠很詳明地追想出來。前一天，我發現兩件重要的事情：第一件，就是庫姆・德雷西地方的羅拉・萊恩斯太太曾經寫信給查爾斯・巴斯克維爾爵士，和他約時間見面，就在約會的當天，爵士暴斃死了。那個躲在曠地上的人，我可以到石屋中去找尋。我既得到了這兩條線索，假使仍不能從這黑暗中尋找到光明，那麼，我的智力或勇氣一定有什麼不能勝任的地方了。

昨夜我沒有機會告訴男爵，我已查出了萊恩斯太太的事。因爲毛廸麥醫生和他玩了好久的紙牌，他回去時已經很晚，在早餐席上，我才把發現的事情告訴他，並問他是否願意和我一塊兒到庫姆・德雷西去。起先他很願意同去，但仔細一想，覺得假使我一個人去，也許可以得到更好的結果。我們越是鄭重其事地去拜訪，越不能得到眞確的事實。於是我離開亨利爵士，一個人坐車出去，但心中仍不免替爵士擔憂。

我到了庫姆・德雷西後，吩咐車夫潘根斯把馬繫住。我就著手訪問我要見的女子。不久，我便找到了她的住處，有一個女僕很和悅地領我進去。我走進了一間起居室，見一個女子坐在一部雷明登牌打字機前面，她原本馬上起身，含笑相迎。但她一見我是一個生客，臉色一沈，又重新坐了下去，問我去見她的目的。

萊恩斯太太給我的第一個印象覺得她是一個非常美麗的婦女。她的眼睛和頭髮都是栗色，她的面頰雖然已起了些皺紋，但仍美得像綻放的玫瑰一般。我要再強調，她實在是一個美人。但第二個印象，卻完全改觀。她臉上有些缺點，眉目間彷彿露出一種剛狠之氣，換句話說她目露兇光，她的嘴唇也鬆弛，這使她的美觀遜減。但這種批評，當然是我事後追想出來的。在當時我只覺得我當著一個美婦人的面前，她正問我造訪的目的。我起初冒然到訪，直到這時，才覺得我的任務實在是很艱鉅的。

我回答道：「我和你的父親是舊識。」這樣的介紹詞未免近於笨拙，在我接下來聽她的答語，便有這樣的感覺。

她道：「我和我父親之間，沒有多大的感情。我對他沒有什麼好感，因此他的朋友，不能算就是我的朋友。假使我沒有那已過逝的查爾斯・巴斯克維爾爵士，和其他幾個好人的幫忙，光靠我父親的濟助，那我早已餓死了。」

我乘機道：「我就是爲已故的查爾斯・巴斯克維爾爵士，才到這裡來見你。」

那婦人臉上的皺紋馬上緊繃起來。問道：「你爲了他來見我，我能告訴你些什麼呢？」她說這話時，手指在那打字機上不停地動著。

我道：「你不是認識他嗎？」她道：「我已說過，我很感激他的仁慈。我現在能夠自立，大部分該感謝他對我不幸處境的關懷。」我道：「你和他通信嗎？」

那婦人忽睜大了眼睛，栗色的眸子露出一種十分惱怒的樣子。厲聲問道：「你這問題有什麼用意？」……

「我的意思，就是要免去外面的流言。我覺得我親自到這裡來問你，比用別的方法談論這件事，妥當得多。」

她沈默了一會兒，臉色泛白。等到她抬起頭來的時候，又露出一種有恃無恐的神情，說道：「好，我可以回答你。你要問什麼？」我道：「你可曾和查爾斯爵士通信？」「我確曾寫過一封信給他，表示我對於他的慷慨和關懷的謝意。」「你發信的日期可有留下來？」「沒有。」「你見過他嗎？」「見過。當他到庫姆·德雷西來的時候，見過一兩次。他是一個隱居的人，因此所做的善舉，常不願宣揚出來。」我道：「但你既然不常見他，又不常寫信給他，那麼，他怎能深悉你困難的情形而幫助你呢？」

她對於我這充滿疑問的話，竟毫不疑遲，道：「有好幾位先生知道我慘痛的過去，聯合起來幫助我。其中有一個是史台柏先生，他是查爾斯爵士的鄰居和好友。他待我很好，所以查爾斯爵士就從他口中知道我的事情。」

我早知道查爾斯爵士所做的善舉，常以史台柏爲名義，所以這婦人的話當然是眞的。

我繼續問道：「你可曾寫信給查爾斯爵士，請他和你見面嗎？」

萊恩斯太太臉上又出現怒紅，道：「先生，這眞是一個奇怪的問題。」我道：「夫人，我很抱歉，但我必須重問這一句話。」「那麼，我回答你——沒有。」

「你在查爾斯爵士臨死的那天，不曾發過信嗎？」

這時她臉上的紅暈立刻退盡，變成灰白。

我見她乾燥的嘴唇動了一動，似要回答一個

「不」字，但竟發不出聲音。

我又道：「那一定是你忘了。我還可以把你信中的話摘錄兩句給你聽。那信道：『你是一個上流的紳士，請你把這封信燒毀了。並請你在十點鐘時到門口來。』」

我想她這時似乎要暈倒了。但她仍竭力鎮定著，不一會兒又回復了原狀。

她喘息道：「難道世界上當眞沒有一個上流的紳士嗎？」

「你冤枉查爾斯爵士了。他當眞照你的話把那封信燒掉了。只是雖然燒過，字跡仍舊可見。此刻你是不是已承認你曾寫過這封信了？」

她急促地答道：「是的，我寫過，我寫過。我爲什麼要抵賴呢？我也用不著自覺慚愧。我想請他幫忙，因我想若能和他見面，一定可以得到他的助力。因此，我就約他和我見面。」

我道：「但爲什麼要在這樣的時候會面呢？」

「因那時候我聽說他次日就要去倫敦，也許要過幾個月才回來。我又另有別的緣故，不能早些和他會面。」

「但又爲什麼不到屋中去見他，卻在園門外幽會呢？」

「你想一個女子，在這樣的時候，到一個獨身的男子屋中去，合宜嗎？」「那麼，你到了那裡，又遭遇些什麼？」「我沒有去。」「萊恩斯太太！」「沒有，我敢向你發誓，我的確沒有去。有一件事情突然發生，讓我無法前去。」「什麼事呢？」「這是一件私事，我不能告訴你。」

「那麼，你已承認你在查爾斯爵士臨死的那天，在他死的地方和死的時間，約他會面，但你不承認你曾踐約。是嗎？」「正是，這都是眞的。」

我一再究問，但只問到這裡爲止，便再也問不出什麼。

最後，我終止了這段冗長而沒結果的談話，站起身來，說道：「萊恩斯太太，你現在不肯把你所知道的一切完全說出來，那只會把你自己推往一個很危險的處境。我假使去叫警察，那你不免要處於更困難的境地了。如果你是無罪的，那麼，你起先爲什麼不承認那天曾寫信給查爾斯爵士呢？」

「我怕有人誤會了，因爲這樣，把我牽連進去。」

「那麼，你又爲什麼一定要叫查爾斯爵士燒毀你的信呢？」「假使你已讀過了這封信，你應該就知道了。」「我沒有說我讀過那完整的信。」「但你已摘錄過兩句了。」

「我摘錄的是信末的附語。那信已燒掉了，並不完全能讀。我現在再要問你，你爲什麼一定要叫查爾斯爵士接信以後，把信燒掉呢？」

「因爲這是一件祕密的事。」

「就算你向人求助，又何必一定不要讓別人知道呢？」

「我告訴你，假使你已聽過我不幸的過去，你當知我起先因爲草率和人結婚，後來卻追悔不已的事。」「這事我也聽過了。」

「我因受我丈夫的逼迫，生活非常慘苦。但法律上他仍可勝訴，無論何時，他都有強迫我去和他同居的權利。我寫這封信給查爾斯爵士的原因，是因爲我丈夫提出一種提議，我若能付出一筆款子，便能回復我的自由。我是很期望自由的。若能如此，我才能安心，並回復我的自尊、我的人格，及一切幸福。我知道查爾斯爵士是很慷慨的人，如果他聽我親口說明這個故事，也許可以幫助我。這樣的事，自然不能讓別人知道的。」

「那麼，你又爲什麼臨時不去呢？」「因爲那時候，我已從另一方面得到助力了。」

「既然如此，你何以不再寫信給查爾斯爵士解說明白呢？」

「若不是第二天早晨，在報紙上得到他的死訊，我當然會寫信告訴他的。」

那婦人的話，前後符合，我竟不能尋出什麼破綻。我只能著手調查在爵士死時，她是否正進行著她和她丈夫離婚的事。

我又想，假使她當眞到過巴斯克維爾爵邸，她必不敢抵賴。因爲她從庫姆．德雷西往爵邸去，不能不坐車子，並且從爵邸回來時，勢必已在破曉。這樣一來一往，若要保守祕密，確是不容易的。因此我覺得她的話也許是確實的，或者，至少總有一部分是實情。我從她家回來時，心中仍充滿著失望和迷惑。我在這件事情上的進行，不料又遇到了像圍牆般的阻撓。但我一想到那婦人的臉龐和她的神態，卻又覺得她有什麼事隱瞞著我。她爲什麼突然臉色大變呢？起初又何以竭力抵賴，直到被迫不過，方才說出來呢？並且在案發的時候，她爲什麼緘口不說？分明她的話不能完全相信？她是否無罪，一時還不能決定。但這方面我卻無從搜尋的。

另一個方向的線索也是很不容易捉摸的。在我坐了車子回去時，見那一處處的小山都留著古代先民的遺跡，一時眞不知從何著手。白瑞莫只說那人住在一個廢棄的石屋之中，但石屋的數目何止數百，並且四散在各處，整個曠地四面都有。幸而我想起那晚那人曾站在那個黑石小山頂，不妨就由此開始。我便以這黑石山做爲一個搜尋的起點，然後在一處一處的石屋中，依次搜尋，直到尋著那人爲止。假使這人正躲在石屋裡面，我可用手槍逼迫他，叫他說明他是什麼人，爲什麼這樣跟蹤我們？他在攝政街時，儘可從人叢中逃去，但此刻在這荒涼的曠地上，他不免要覺得困難了。假使我尋著了那個他所住的石屋，而人不在裡面，我也要留在裡面，無論多久，必等他回來了才罷休。福爾摩斯在倫敦時已當面錯過一次，假使我此刻能把他尋到，那我就可因此而自傲了。

我們在這件案子中一再失望，我們的機運也可說很差。不過到了最後的時候，那機運竟也轉了方向。這好機運的使者，就是那個佛蘭加先生。這時，他正站在他花園的門口，園門恰和我經過的通路連接。

他通紅的臉含著笑容，呼道：「華生醫生，你好啊！且讓你的馬休息一下，到我屋子來飲一杯酒並且恭喜我一聲。」

我因爲聽說了他對待他女兒的態度，對他實在沒有好感。我本想打發潘根斯和馬車先行回去，以便我可以獨自行事，現在有這個機會，就不妨利用一下。我下了馬車，寫了一封短信給亨利爵士，叫潘根斯帶回，說明我要閒蹓一會兒，晚餐時就可回邸。接著，我就跟了佛蘭加走進他的餐室。

他笑聲不絕地呼道：「先生，今天眞是我最快樂的日子。我已結束了兩件案子。我的本意，就是要叫這些人知道法律是法律，並使他們知道這裡有一個人決不怕事，要讓法理伸張。我已證實勒米多頓的公園裡有一條公路，直貫園中心，離他的前門不到百碼。你想這一招如何？我們要教訓這些貴族，決不能讓他們任意蹂躪平民們的公權。這些人實在太可惡了，我還要封閉一個樹林。從前邦佛恩渥西家的人時常進樹林裡野宴，這些人似覺得所有地方都沒有產權，他們可以隨意進去縱飲作踐。華生醫生，這兩件案子都已判決，勝利已屬於我。我自從和約翰·馬蘭爵士的訟案結束以來，從沒有像今天這樣勝利的日子。至於我和馬蘭爵士的訟案，是控告他在自己的家囿中開槍。」

「你怎樣控告他的呢？」「先生，你不妨瞧瞧那本紀錄。這紀錄很值得一讀的……」「佛蘭加控告馬蘭的檔案錄。」「這案子我花了二百鎊費用，但終究還是我得勝。」

「你在這案子上得到些什麼呢？」「先生，沒有得到什麼。我在訟案上並無任何利益，這點我是可以自傲的，我只爲公衆盡力。譬如今天晚上，佛恩渥西家族的人也許要把我紮成草人燒燬，但我上次已報告過警察，叫他們阻止這種不名譽的舉動。先生，這裡的警政實在很不可靠，他們也不能給我應有的保護。我控告雷奇納警長的案子，不久將要引起公衆的注意了。我早對他們說過，他們這樣待我要後悔的。現在我的話已應驗了。」

我問道：「何以見得？」那老頭顯出一種得意的樣子，答道：「因爲他們急著要知道一件事情，我本來可以告訴他們的。但現在無論如何，我也不願意幫助那個流氓。」

我聽了他的談話，本想設法脫身離開。但聽了他的最後一句話，卻使我希望他多說幾句。我知道這老人的古怪脾氣，假使我露出了強烈的興趣，他一定反而不肯說了。

我裝做很淡漠的樣子，說道：「大概你知道了什麼偷獵的事吧？」

「哈哈，我的孩子，這件事比你說的重要得多哩。你可知曠地上那個逃犯的事？」

我震了一震，問道：「你不會是說你知道他藏匿的地方吧？」

「我雖不知他的正確位置，但我可以幫助警察們把這個人捉住。你難道沒想過若要捕捉這人，應從他得到食物的線路上著手？」他的話果眞是很切近事實的。我接著答道：「不錯，但你怎樣知道他確實在曠地上呢？」

「因爲我親眼瞧見過那個給他送食物的使者，才知他仍在曠地。」

我一聽這話，不禁替白瑞莫吃了一驚。這件事既被這喜歡多事的老人知道，那當眞很可怕的。但他後來的話讓我放下了心中的重負。

他道：「這個人的食物是一個小孩子送給他的，你聽了也許要詫異不信。但我從我屋頂上的望遠鏡中，天天瞧見這個孩子，他在一定的時候經過同一路徑。你想這孩子除了供給那囚犯食物，還會有什麼人雇用他呢？」

運氣實在太好了！但我臉上仍不露出一絲痕跡。老人說有一個孩子！白瑞莫先前告訴我，我們那一位不知姓名的怪客，有一個孩子供給食物給他。這孩子分明是那怪客的使者，並不是逃犯的使者，佛蘭加卻誤會了。假使我能探聽一些實情，也可以省些搜尋功夫。但我若想再深入探聽，只有表現出一種冷淡不信任的樣子，才有成效。

我道：「我卻認爲這個孩子也許是曠地上牧人的兒子，他大概是給他的父親送飯去了。」

我略略反對的表示，果眞激惹了這古怪的

老人。他的眼睛發出怒光，灰色的鬚髯也豎了起來，彷彿像一隻發怒的貓兒。

他指著外面的曠地，大聲道：「先生，你沒有看見那邊的黑山嗎？你不見那下面的小山上有一叢荊棘？這就是曠地中最多石的不毛之地。你想在這樣的地方，可能做牧人們駐足的地方嗎？先生，你的話實在是沒有常識。」

於是我說我因為不知道各種情況，才有此誤解。他見我信服他的話，似很得意，便繼續誇張他的所見。他道：「先生，你知道我在成立我的見解以前，各方面都是有了眞確的根據的。我見那孩子帶著東西經過，已不止一次。有時每天一次，有時每天兩次。我總能——且停一停，華生醫生，那面小山的下面，此刻是不是有什麼東西在動？或是我的眼睛瞧錯了？」

在數哩以外，我確實看見那灰色和深綠的背景上面，有一個小小的黑點。

佛蘭加呼道：「先生，來，來。」他說著，奔上樓去，又向我道：「你不妨親眼去瞧瞧，然後你自己再定奪。」

在那鉛皮鋪覆的平屋頂上，裝著一個三腳架子，架上有一個很大的望遠鏡。佛蘭加把眼睛湊到鏡口，看了一看，發出歡呼聲道：「華生醫生，快來。他要去那小山了！」

我果見有一個孩子肩上背著一包東西，緩緩地爬上小山去。他走到了山頂，我見到這個衣衫襤褸的孩子，被那藍色的天空所襯，一舉一動都很明晰。他站住了向四周瞧了一瞧，神情似很詭祕，彷彿怕什麼人追蹤似的。接著，他就向山的那面走下去，瞧不見了。

佛蘭加道：「哼！怎樣？我的話對吧？」

「對的，這個孩子分明負著什麼祕密的任務。」

佛蘭加把眼睛湊到鏡口，看了一看，發出歡呼聲。

「他有什麼任務，這裡的警察竟沒有一個猜得到。但我決不告訴他們。華生醫生，你也應該和我一樣保守祕密，不可漏一句風聲。你明白嗎？」「我可以遵命。」

「他們待我很不客氣，等到我控告雷奇納的案情公布以後，這裡的人們勢必都要責怨那些警察了。到那時候，無論怎樣，我決不幫助那一班警察。因爲他們應當盡力保護我，你須知我的草人，先前已被那些流氓燒燬過一次了。你現在先不要走！你先和我喝了這一瓶酒，慶祝我這一次的勝利。」

最後我想了許多推託的話，又叫他不必送我回去，才得以脫身獨行。我在他視線所及的地方，仍循著馬路前行。但走得略遠，我就轉身往那孩子經過的小山。我覺得這件事經過了不少挫折，因著我的恆心和毅力，現在那機運終於轉向我這方來了。

我走到小山頂時，太陽已下沈。那座山兩面的山坡一邊是金綠的顏色，一邊卻已灰暗不明。遠望天空，和地平線相接之處還聳著幾座小山。在這寬廣的曠地中，竟一點聲音也沒有，也不見有任何動靜。有一隻灰色的大鷹，在那暗藍的天空中迴翔，彷彿在這穹蒼之下和那荒漠的平地上，只有我和這一隻鳥才是惟一的生物。這種荒涼寂寞的景象，和我所負的詭祕重任一聯想起來，便不禁令我打了個寒顫。那孩子已經不見了。但在我站立的下面，在一個小山的空地上有不少石屋，環成一個圓形。我見其中有一宅石屋上面還有些屋頂可以掩蔽風雨。我一瞧見這個，心頭不覺跳了一下，料想那個怪客大概就藏匿在這地方了。所以，我準備走到那石屋的門口，屋中有何祕密，當然馬上要在我掌握中了。

我走向石屋時，腳步很快，就像史台柏見了什麼珍奇的蝴蝶，舉網奔撲的樣子。那時我便有個直覺，這地方一定有人居住，在亂石中間有一條曲折的路，一直通到那石屋的門口。屋中靜寂無聲，不知那怪客正藏匿在裡面，或是他正在曠地上巡行。我的神經充滿了冒險的感覺，我丟掉煙，一隻手握著手槍，跨步直向那石屋的門口。我向裡面一瞧，竟空無一人。

但那裡有許多景象告訴我並沒落空，這地方果眞是那人的住所。有幾條絨毯，捲在一塊油布裡面，放在石板上，那石板就是那些原始人當做臥榻用的。一個粗陋的鐵爐中堆著許多木灰，爐邊還有些炊具和半桶清水。一個角落裡還有一堆錫罐，顯見那人已住在這裡好久。我在黑暗中站了一會兒，而我的眼睛也更習慣些了，又見暗角中有一個還剩一半的酒瓶和一個小杯子，在石屋的中央，有一塊大石，被用來當做桌子。在這大石上，有一個小小的包裹，那一定是剛才從望遠鏡中所見的孩子背在肩上的東西。這包裹中有一大塊麵包，一罐牛舌，和兩罐桃醬。我把那東西瞧了一瞧，又重新放下，這時我吃了一驚，包裹的下面竟有一張紙，紙上寫著幾個字。我把紙拿了起來，見上面寫著一行很粗草的鉛筆字道：「華生醫生已往庫姆・德雷西。」

我把紙拿在手中，呆立了尋思，這一行字有什麼意思。一會我才領悟，那個詭祕的人，暗中監視的不是亨利爵士，卻是我。這個人自己也許沒有尾隨在我的後面，但他一定派了一個手下——也許就是那孩子——偷偷跟在我的後面。這一張紙，不用說就是那代表的報告了。我想，自從到曠地後，我的一切舉動，大概都有人在監視報告。我起先常覺得有一種瞧不見的力量，像羅網似也圍著我們，此刻身處其境，才覺得我當眞已陷進詭祕的迷陣中了。

這裡既有這一張報告，顯見一定還有其他的報告。我於是在石屋內四處找尋，但是卻尋不出別的，此外也不見有什麼東西，這足以表示這個神祕客是多麼地小心謹愼。而這個人能夠安頓在這個地方，可見他一定有些斯巴達人的習慣，在起居生活上不很講究。我見那石屋的屋頂，隙縫很多。又想起那天下大雨的情況，這地方一定非常難受，但那人竟還安居在這裡，足見他一定有不凡的目的。這個人是否就是我們可怖的仇敵？或是我們暗中的保護人？我決定解決了這個疑問，才離開這個石屋。

石屋外面，殘陽已經西沈。天空一片通紅。那反照的紅光，從格林朋大泥潭間的水池中射出。又見巴斯克維爾爵邸的雙塔高高聳起，遠處更有一縷炊煙裊裊，那就是格林朋村。在這雙塔和炊煙的中間，史台柏的屋子就隱伏在那小山背後。在這日暮的餘光之中，一切的景物都已化做了平安的氣象。但我在此時，實在沒有平安的感覺。我心中只充滿著不可捉摸的恐懼，料想任何時候都可能和那怪客相見。我鎮持著我的神經，抱定了主意，坐在那石屋的暗處，耐著性子等待那神祕客到來。

最後我聽見他來了，遠遠的有一陣皮靴踐石的聲音傳進我耳裡。接著，那聲音越走越近，越來越清晰。我就把身子退縮到屋子的一角，一手按住了衣袋中的手槍，決定在我瞧清楚那怪客以前，不要讓他瞧見。忽然那聲音停了，那人似乎停住了腳步。一會兒，那腳步聲才繼續走近，有一個影子已橫在石屋的門口。

這時有一個熟悉的聲音說道：「親愛的華生，這是一個可愛的黃昏。我想你不如到外面來。這裡比裡面清爽得多呢！」

第十二章　慘死

當時我屏住了呼吸，幾乎不敢相信我的耳朵。過一會兒，我才回復了知覺，同時我心上的重擔也似忽減輕了。我覺得那冷靜而清晰的聲音只可能屬於那個人。我呼道：「福爾摩斯！福爾摩斯！」他道：「出來吧！但請你留心些你的手槍。」

我彎著身子，走出那石屋的穴口，見他坐在屋外的一塊石上。他灰色的眼睛看看我驚異的臉上時，竟充滿了快樂的神情。他的臉瘦而憔悴，但精神仍很振奮。臉上受風吹日曬，變得粗糙且泛紅。他穿著一身絨衣，頭上戴著布帽，很像一個在曠地上見到的旅行家。他雖在這荒涼的地方，但仍保持著他整潔的特性。他的下巴光潔，硬領也很潔白，就像他在貝克街時一般。

我走出石穴口，見福爾摩斯坐在屋外的一塊石上。

我奔過去拉著他的手，說道：「我從來沒有比此刻瞧見你還要快樂的了。」

他道：「但也沒有比此刻更驚訝吧？」「沒有，我承認沒有。」

「其實驚訝的也不止你一人。我實在也想不到你會找到我這暫時寄居的地方來，更想不到你會藏在裡面，直到我離這門口二十步左右，方才知道。」

「我想你是從我腳印上知道的吧？」「不是，華生，我雖然能辨別世界上的無數腳印，卻無法看出你的。你假使果眞要隱瞞我，那你應換一種紙煙。因爲我瞧見一個煙蒂，上面標著『牛津街伯拉特製』，我便知道我的朋友在這裡了。那煙蒂留在石徑上，顯然是你準備進石屋的時候丟在那裡的。」「是啊！」

「我想到了這層，又素知你辦事時的勇敢，料你必已伏匿在石屋裡面，手中拿著武器，等待石屋的神祕住客回來。那麼，你是把我當做一個犯罪的罪徒了？」

「我本不知道你是什麼人。但我決定查一個水落石出。」

「很好，華生！但你如何找到我這裡來的呢？大概是你在追蹤逃犯的那夜瞧見我的。那時我竟讓那月亮在我背後昇起，我實在太不謹愼了。」「正是，我那時瞧見你了。」

「那麼，你必已在其他的石屋中找尋了一番，才找到這裡來的吧？」

「不是，你的小僮已被人瞧見了。我靠著跟蹤他，才能直接找到這裡。」

「不用猜，一定是從那老人的望遠鏡看到的。當我第一次瞧見了那一條凸鏡的閃光時，一時還不知道是從那裡發出的呢。」他站起身來，走進石屋中瞧了一瞧。他又道：「哈，卡立德又把東西送回來了。這紙上寫什麼呢？咦！你去庫姆．德雷西？」「正是。」「去瞧羅拉．萊恩斯太太？」「不錯。」

「你辦得好！我們偵查的方向終於一致。現在我們若把彼此的結果結合，對於這件案子一定有很大的幫助。」

「你此刻能在這裡，我眞是非常快樂，因爲這一件疑案和我所負的責任，實在有些令我不能勝任了。但你怎麼會到這裡來？並且在這裡做過些什麼？我以爲你還在貝克街辦那件勒索案。」「我就是希望你有這樣的想法。」

我聽了覺得有些不樂，冷然道：「那麼，你雖然用我，卻不信任我。福爾摩斯，我自問非常盡力，你不應這樣待我！」

「我親愛的朋友，你在這案中所盡的力，就像在別案中的助力一般可貴。你如果認爲我這一次有點欺騙你，請你原諒。老實說，我這樣的舉動，一半是爲了你。因我覺得你身處險地，才驅使我不能不親自到這裡來偵查一下。假使我和你與亨利爵士同在一處，我所得的見解，必然和你的相同。並且我的形跡一露，不就是警告我們的對手謹慎防備。所以如果我留在爵邸之中，那就難得我現在所查的一切。因此，我決定在暗中進行，緊急的時候我就可以全力對付。」

「但你爲什麼連我也隱瞞？」

「你如果知道，不但對於事情沒有益處，反容易讓人發現眞相。因爲你勢必會想告訴我什麼消息，或因你的好意，送些日用的東西給我，或是冒著不需要的危險，時常往來。這樣，我的形跡就不免敗露了。我把卡立德帶著同來，這孩子就是那雇役公司裡的人，你還記得吧？他每天供給我簡單的需要——一塊麵包和一條潔白的硬領。你想除了這兩種東西以外，一個人還有什麼別的需要呢？此外他還供給我一雙眼睛，和兩條敏捷的腿。這兩樣也是很可貴的。」

「那麼，我的一切報告都白費了！」我說這話的聲音有些顫動。因爲我想起當我寫報告的時候，費了不少心思，並且自己也覺得很意的。

福爾摩斯從袋中拿出一卷紙來，道：「我親愛的朋友，這都是你的報告，我都很重視的。我預先布置好的，所以這些報告從倫敦兜一個圈子到我手中，只耽擱一天。至於你在這一件困難的案子上所表現的熱忱和智慧，都足以令我向你稱謝的。」

我起先固然有些怏怏不樂，但後來因爲福爾摩斯熱誠的讚語，便消了我的怒氣。我又覺得他的話實在沒錯，爲便利我們的計劃，當眞最好連我也不知道他在曠地。

他見我臉上不悅的神色已經消失，便又說道：「好了。現在你再把你和萊恩斯太太會面的結果告訴我。在這件案子上足以幫助我們的人，就只有這個萊恩斯太太。假使你今天不到她那裡去，我明天也要去。」

這時太陽已下沈了，暮色籠罩著曠地，空氣忽然變冷，我們走進石屋，併坐在昏暗的微光之中。我就把先前和那婦人的談話，告訴福爾摩斯。他聽的時候非常專注，有幾處竟要我說了兩遍，他才滿意。

他等我說完，說道：「這一部分是最重要的。我起先覺得這一件複雜的案子，彷彿中間隔著一個深潭，無法通過。有了這一番談話，可說已得到了一條橫渡深潭的橋。你知道這婦人和史台柏之間的關係有多密切嗎？」我道：「我不知道他們有密切的交情。」

「這件事是確實無疑的。他們時常相會，時常通信，非常密切，這一點線索我們儘可利用。假使我把這事告訴了他的妻子……」

「他的妻子?」「啊,你既已報告了我這許多事情,我現在也可以回報你一些事了。那個假稱史台柏妹妹的女子,實際上就是他的妻子。」

「天啊!福爾摩斯,你所說的是眞的嗎?果眞如此,他怎能容許亨利爵士和她發生戀情呢?」

「亨利爵士和她發生戀情,別的人不會受什麼傷害,受害的只是亨利爵士本人罷了。那史台柏原本是盡力阻止亨利爵士愛她的,這事你也已瞧見過。我再說一句,這女子的確不是他的妹妹,而是他的妻子。」

「但爲什麼他們要隱藏事實呢?」「因爲他知道她若成了一個自由的女子,對他會有更多的幫助和方便。」

這時我心中的疑團,和不可言喻的感覺,忽然都集中在這個生物學家身上。我覺得這個面無血色,冷漠不動感情,頭上戴著草帽,手中執著蝶網的人,實際卻是一個可怕的東西。他是一個有耐性而狡猾的人物,臉上雖常帶著笑容,心中卻滿含著謀殺的意味。

「那麼,這個人就是我們的仇敵了,那個在倫敦跟蹤我們的,也就是這個人?」「我覺得如此。」

「那麼,那警告信——大概就是那女子所發的了,」「不錯。」

這個僞裝的惡漢!

我道:「福爾摩斯,這是眞的嗎?你怎麼知道那女子是他的妻子呢?」

「因爲他初次遇見你的時候,失於防備,竟把他自己過去眞實的歷史告訴了你。我敢說這事他後來必定非常懊悔的。他從前的確是在英倫北部當教師的，要調查一個教師的情形，本就是很容易的事。你只要到學校的引薦所去，便可以查出任何教員的眞相。我從這方面去調查，知道有一個學校，因爲嚴重的情形而被解散。那主持學校的人——姓名已改換了——就和他的妻子失蹤不見。我查得那兩個人的相貌，和這二人完全符合。此外，我又知道這個失蹤的男子是專門研究昆蟲學的，於是這史台柏的底細便毫無疑惑了。」

那黑暗的重幕已漸漸地揭開了。但還有許多部分仍藏在黑影裡面。

我又問道：「假使這婦人果眞是他的妻子，那麼那萊恩斯太太又怎麼會加入他們的中間呢？」

「這一個問題，已因你的調查顯露了一些光明。你和那婦人的談話，已把我的一個疑團解開。我不知道她和她丈夫之間有過離婚的提議，現在既然如此，她必以爲史台柏是個未婚的男子，她想必就是要嫁給他了。」

「那麼，她明明是受他的愚弄。我們該怎樣去點醒她呢？」

「這就是我們的責任。我們明天應馬上去見她。華生，你不覺得你離開你職務太久了嗎？你本應該留在爵邸中的啊！」

最後的餘光已完全在西方消失，夜色降臨大地，有幾點星光在紫色的天空閃著。

我一邊站起身來，一邊問道：「福爾摩斯，我還有一個問題，我們中間似乎不必再守什麼祕密。這件事究竟有什麼用意呢？史台柏希望得到什麼？」

福爾摩斯回答的時候，聲調忽降低。他道：

「這是一件謀殺案！華生，這件事計畫得非常周密。現在你不要問我詳情，他正張著羅網朝向亨利爵士。但我的網也漸漸逼近他了，再加上你助力，他差不多已在我的掌握之中。但還有一個危險，就怕在我準備完畢以前，他卻先動手。再隔一天——至多兩天——我的安排就可完畢了。在這期間，你應竭力護持爵士，就像一個慈愛的母親護持一個患病的孩子一般。你今天的成績固然很好，但我卻更希望你不曾離開他的身邊——呀！」

在這當兒，有一陣長而恐怖的尖叫聲，從那靜寂的曠地上傳來，因著這個聲音，竟使我身體中的血液變成寒冰。我喘息道：「啊，我的上帝！這是什麼呀？」

福爾摩斯也跳起身來。他奔到石屋的門口，俯倒身子，探頭出去在黑暗中瞧視。低聲道：「不要動！先不要動！」

那聲音是從曠地的遠處發出，這時卻越來越近越大聲，比之前更緊急。

福爾摩斯又低語道：「在那裡呢？」我覺得他的聲音充滿著驚恐。他雖是一個似銅鐵一般剛強的人，此刻竟也非常慌亂。他又道：「華生，在那裡呀？」

我伸手指著黑暗的一處，答道：「我想在那裡。」他道：「不是，在這一邊！」

那淒慘的叫聲，又從靜夜中傳出，比之前更響亮。那呼叫聲中，還夾雜著一個新的聲音，忽高忽低，像海嘯似的非常恐怖。

福爾摩斯呼道：「那獵狗！華生，來！天啊！我們也許太遲了。」

他拔腿向著曠地奔去，我也急忙跟在他的後面。這時在我們前面的亂石地上，傳來一聲最後的慘叫，接著有一種重物墜地的聲音。我們站定了靜聽，那黑暗無風的靜夜中，卻再也沒有任何聲音了。

我見福爾摩斯伸手摸著他的額角，像一個人遇到了失敗的樣子。他頓著腳，道：「華生，他已把我們打敗了。我們已太遲了！」我道：「不，不，決不會如此。」

「我沒立即著手，實在是失策的。華生，你瞧，你放棄了你陪伴的任務，產生什麼結果了？但如果這件事已來不及挽救，我們也一定要報仇。」

我們從黑暗中向前亂奔，有時和大石相撞，有時從樹叢中脫身而前。之後奔上了小山，又從山的那邊下去，再朝著那怪聲發生的方向奔去。福爾摩斯每跨一步，必向左右瞧察，但曠地上黑影重重，實在難於辨別。他問道：「你可有瞧見什麼？」我答道：「什麼都瞧不見。」

「咦，這是什麼？」

有一種低微的呻吟聲傳進我的耳朵。那聲音從我們的左邊傳來。那邊有一帶石塊，石盡處聳著一堵巉壁，從岩壁上往下望，便見一片山坡。在這山坡上，似有一個黑色的東西。當我們奔過去時，那東西便逐漸清楚。是一個俯臥的人。他的頭縮在胸前，兩肩拱成圓形，背脊高聳，好像一個人正在那裡翻觔斗的樣子。我見了這種恐怖的樣子，便知剛才那聲呻吟，就是這人斷氣前的聲音。我們傴著身子，把那人拉起來時，那人已不動無聲。福爾摩斯伸手按著那人的肩膀，將他翻過來，忽發出一聲大叫。他擦著了一根火柴，照見那人頭顱上寬闊的血洞，同時又瞧見別的東西，幾乎使我們倆暈倒——這是亨利・巴斯克維爾爵士的屍體。

他穿的那身紅色的絨衣，我們是不會忘記的。因爲他第一次到貝克街來找我們的時候，就穿著這套衣服。這時我們瞥見了一眼，火柴便熄滅了，彷彿我們心中的希望，霎時熄息一般。福爾摩斯不停地歎息，在黑暗中也可見他臉色慘白。

我握著拳頭叫道：「這畜生！這畜生！唉，福爾摩斯，我竟離他遠行，使他遭這慘禍。我實在不能原諒我自己。」

「華生，我比你更應負咎。我爲了要使這案子的布局妥善完備，竟斷送了我委託人的性命，這是我生平最嚴重的失敗。但他爲什麼不聽我一再的警告，擅自一個人冒險到曠地上來呢？」

「我的天啊！我們還聽見他的呼救聲，可是竟不能救他！但這致他於死的可惡怪狗，是從那裡來的呢？那畜生也許仍藏在那些亂石之中。還有史台柏在什麼地方？這事他應該負責的。」

「的確該由他負責。我一定會這麼辦。他們伯姪二人都已被害——一個一見那怪物，以爲是什麼鬼靈而嚇死的；還有一個卻因被追逃命而致死。現在我們該著手的就是去追究這惡獸和人的關係。我們除了所聽見的聲音以外，我們還不能確定當眞有這樣的怪狗存在。因爲亨利爵士是奔逃失足，跌碎了頭顱而死的。但這罪犯無論怎樣狡猾，不用到明天晚上，一定可以在我掌握中了。」

我們站在那屍體的兩旁，因爲這一件突然發生的災禍，把我們的努力和希望都變成空，心中有說不出的難過。一會兒，月亮漸漸昇起，我們走上一步，到山坡的上面，向四下瞧察。

但見那黑暗的曠地，一半已有微光，一半還沈浸在黑暗之中。在數哩以外，正對格林朋村的方向，有一點小小的黃光閃著。這光分明是從那孤立的史台柏屋中透出來的。我不禁揮著拳頭，發出一聲怨恨的詛咒道：「我們爲什麼不立刻捉住他呢？」

「我們案子的搜證還沒有全備，這個人最狡猾不過了，我們不能輕舉妄動，假使我們的舉動一有失誤，反使這惡漢有逃走的機會了。」

「那麼，我能做些什麼呢？」「明天我們有不少事情要做。今天晚上只能爲我們的朋友料理一下後事了。」

我們倆一同走下山坡，回到陳屍的地方。這時石塊被月光照成銀色，屍體躺在上面，顯得更黑更恐怖。我一瞧見這個慘狀，心中隱隱刺痛，眼淚也滿湧在我的眼眶。

「福爾摩斯，我們必須去喚幾個人來幫助我們，不能夠就這樣子抬到爵邸裡去——天啊！你瘋啦？」

他大叫了一聲，忽彎下身瞧那屍體，接著又拉住我的手，揮動著，笑著。我那嚴肅鎭靜的朋友怎麼變成這樣子呢？他大概刺激已深，無法控制！

他呼道：「鬍鬚！鬍鬚！這個人有鬍鬚呢！」「有鬍鬚？」「這不是男爵——這是——什麼，這是我的鄰居——就是那個逃犯！」

我們急忙把那人的臉翻轉過來，從月亮的寒光之中瞧見他臉上長滿了鬍鬚。他的額角突出，眼光深陷，當眞就是那天晚上從燭光中所瞧見的那個從石縫中露出來的臉——也就是那逃犯賽爾丹的臉。

於是一剎那間，我便明白了。我記得男爵

曾告訴我，他已把舊衣櫥中的東西賞給了白瑞莫，白瑞莫又轉給了賽爾丹，希望他能改了裝束脫逃。所以他的靴子、襯衫、帽子，完全都是亨利爵士的。他致死的原因，雖然還沒有明白，但這個人罪有應得，雖死也不冤枉，我把我所知道的原因，告訴了福爾摩斯，說的時候，我因心中的快樂，覺得心房中跳盪不止。

他道：「那麼，這個人是因所穿的衣服才送了性命。這分明是那獵狗先前曾嗅得亨利爵士什麼東西——他在旅館中失去的靴子，也許就是爲了這個緣故——因此今夜這狗就向他追咬。但有一個奇怪之點，就是賽爾丹在黑暗之中，怎會知道那獵狗追在他的後面呢？」我道：「他聽見了聲音而知道的。」

「像他這樣的人，在曠地上聽見了狗嗥聲，一定不會如此恐懼並尖叫，以免又被逮捕。聽他的呼聲，他必已先奔跑了好久，才知道那猛狗追在他的後面。但他怎樣知道的呢？」「假使我們猜想的不錯，這狗爲什麼……」「我並不想推測。」

「這狗爲什麼在今夜跑出來呢？我想這狗決不是天天放在曠地上的。史台柏若不確定亨利爵士確實在曠地，他也決不會隨意放狗出來的。」

「我認爲我們的兩個疑問，我的那一個更難解釋，你的疑問不久便有剖解的希望。我所懷疑的，不久也會有答案。但眼前我們的問題就是怎樣處置這個可憐人的屍體。我們不能就讓他躺在這裡被鷹、狐等抓去果腹。」

「我想我們暫且把他抬到石屋裡，然後再報警。」

「很好，我和你二人應該可以把他抬到石

屋中去。哈，華生，那是什麼？那個人來了！好大膽啊！你不要說一句懷疑的話。一定要留心著，否則我的計劃要完全失敗了。」

這時有一個人影，從曠地上向我們走來。我見有一點紅光，那人似乎正吸著雪茄。等他走近，我從月光中見他走路的姿態，便知那就是生物學家史台柏。他瞧見了我們，忽然停止腳步，接著又繼續向我們走來。

「唉，華生醫生，是你嗎？我實在想不到這時候你還會在曠地上。唉，這是什麼呀？有一個人受傷了嗎？你不會告訴我，這就是我們的朋友亨利爵士吧？」

他從我的身旁匆匆地經過，到那屍體旁邊俯身瞧視。我聽見他嘴裡發出怪聲，拿著的雪茄，也忽然落在地上。結結巴巴地道：「這——這是誰呀？」我道：「這人叫賽爾丹，就是從王子鎮監獄逃出來的犯人。」

史台柏臉色突然變白。但他有一種特殊的強制力，立即把驚詫和失望掩住。他張目向我和福爾摩斯瞧著。

他道：「哎喲，這眞是一件可怕的事。他怎麼死的呢？」

我道：「他似乎是從石頭上跌落下來，折斷了頭頸。我和我的朋友正在曠地上閒步，忽聽見了叫聲，便過來瞧察。」

「我也是聽見這呼聲才出來的，我很替亨利爵士擔憂呢！」

我禁不住問道：「你爲什麼要爲亨利爵士擔憂呢？」

「因我曾約他到我這裡來。他竟失約沒來，我十分意外，後來我聽見曠地上傳來呼叫聲，自然要替他擔心了。」說時他的眼光從我臉上，移瞧福爾摩斯。他又問道：「你除了那呼叫聲以外，可還有聽到別的聲音？」

福爾摩斯答道：「沒有。你有聽到嗎？」

「也沒有。」我道：「這話是什麼意思？」

「唉，你是知道那些鄉民們所談的怪狗的故事。他們說那怪狗常在夜間出現在曠地上，並且可以聽到牠的聲音。我因此懷疑，今夜是否有這樣的聲音發生。」

我道：「我們卻沒有聽見這樣的聲音。」他道：「那麼，你們認爲，這個人究竟怎麼死的呢？」

「我認爲他一心想逃走，但不能如願，因此發狂，於是在曠地上亂跑亂奔，就從這裡跌下，跌斷了他的頭頸而死。」

史台柏道：「這假設最接近事實了。」他邊說邊歎了一口氣，表示他如釋重負一般。他回頭說道：「歇洛克・福爾摩斯先生，你認爲這件事怎樣？」

我的朋友鞠躬行禮，道：「你一見我便知我是誰。你眞是敏於辨別的。」

「自從華生醫生來後，我們早知道你要到這裡來，恰巧讓你瞧見這一幕慘劇。」

「正是，我覺得華生醫生的解說很符合事實。我想我明天回倫敦的時候，一定還忘不了這悲慘的一幕。」「你明天就要回去了？」「我明天就要回去了。」「我希望你到這裡來後，能幫我們解答疑團。」

福爾摩斯聳了聳肩，答道：「人們所有的希望，不一定都能一一實現。偵探的人所著重的是事實，並不在那些謠言和怪誕的故事。這件案子，大概不能夠有圓滿的結果了。」

我的朋友表現出誠懇和失望的樣子。但史

台柏仍兇狠狠地向他瞧了一眼，接著他轉過頭來。

他道：「我本想把這個可憐的人抬到我屋子裡去。但這樣未免要使我的妹妹受到驚嚇。我們不妨用什麼東西暫先遮住，等到明天天亮再處理。」

我們就照著他的話做，史台柏還叫我們到他屋裡去。我們辭謝了，向巴斯克維爾爵邸前進，史台柏就一個人回去。我們走了一會兒，回頭瞧瞧，見他正一個人緩緩步行回去，山坡上面有一個黑點，就是那屍體躺臥的地方。

我們快要穿過曠地的時候，福爾摩斯說道：「我們眞的遇到了一個敵手了。這個人的意志多麼堅強啊！當他瞧見了那屍體，發覺他的計謀已發生了錯誤的時候，在別的人也許要因此嚇暈，他卻仍能保持鎭定。華生，我在倫敦時對你說過，現在再對你說一次，我們這一個對手，實在是難得遇見的。」我道：「但他已瞧見了你，我覺得很不高興。」「我起初也覺得如此，但也無法避免啊。」

「你想他現在知道你在這裡，他的計劃會有什麼變動嗎？」

「這也許使他更加謹愼，或是使他立卽下最後的毒手。但他也許像別的狡猾的罪犯一樣，過於深信他自己的機智，以爲他完全瞞過我們。」

「我們爲什麼不立刻把他逮捕呢？」「我親愛的華生，你眞是急躁。無論幹什麼事，似乎總急於動手。但假使我們今夜就把他捉住，試想我們能控告他什麼呢？我們完全不能證實什麼。他的計劃是最狡毒不過的，假使他的羽黨是人，我們自然可把他當做一個人證，但就算找到了那一隻狗，我們也不能定牠主人的罪。」

「我們可以正式控告他。」

「不錯，但我們所有的只是推理和猜測。假使我們把這樣的故事往法庭上陳訴，不免要讓人笑話。」「但查爾斯爵士的死，明明是一件事實。」

「他死時身上完全沒有傷痕。你和我雖知道他是驚恐而死的，又知道使他驚恐的是什麼東西，但我們怎樣讓那十二個嚴肅的陪審人相信呢？那怪狗有什麼證據呢？假使曾被狗咬，那獠牙的痕跡在那裡呢？我們當然知道那獵狗並沒有咬噬屍體，查爾斯爵士在那怪狗追到以前已被嚇死，因此並無痕跡。這種種我們應當設法證實，但事實上我們卻辦不到。」

「那麼，今夜的事如何？」「今夜這一件事，於我們仍無把握。因爲逃犯的死，和那怪狗之間仍沒有直接的關係。我們並沒有瞧見那隻狗，只聽見聲音罷了。所以我們仍不能證實那狗追著逃犯，若指出犯罪的目的，更無頭緒。我親愛的朋友，你實在不能心急。我們就事實而論，眼前還不能提起控訴。假使到了可以著手的時候，我們自然盡力進行的。」

「那麼，你打算怎樣進行呢？」「從萊恩斯太太著手。我們把這件事的情由，向她解釋明白以後，她也許可以幫助我們。此外我也有我自己的計劃，我想明天總可以有發展了。我希望不到明天的天黑，便能把我們的敵手圈進我的網中。」

我無法再向他問什麼。他邊走邊深思，一直到巴斯克維爾爵邸的前門。我道：「你要進去嗎？」

「進去。我想此刻沒有再隱藏的必要了。

華生，還有，你不要把獵狗的事告訴亨利爵士。關於賽爾丹的死訊，你可把剛才對史台柏說的那一番話說給他聽，我記得你報告中說起，他明天要去史台柏家晚餐。因此，你應幫他穩定心神，決不可使他先自驚恐。」「也對，明天我也要去的。」

「那麼，你應當推託不去，讓他一個人去，這應該可以辦到的。現在我們已經來不及進什麼正式的晚餐，不過總也要弄些東西果腹才好呢！」

第十三章　布網

亨利爵士見了歇洛克・福爾摩斯，他的愉快，勝於他的驚詫。因他早盼望福爾摩斯聽到了近數天中發現的事情，就能馬上從倫敦過來。但他瞧見我的朋友一點行李也沒有，也不說明不帶行李的緣故，似乎有些訝異。但福爾摩斯所需要的東西，我們都能臨時供給，後來我們在進晚餐的時候，便把經歷的事情，約略告訴他。我說出了賽爾丹的死訊，對於白瑞莫夫婦而言實在是一種不歡的驚耗。在白瑞莫也許因此減少了一個累贅，未必有什麼悲傷，但他的妻子卻不禁痛哭起來。這個人雖是十惡不赦的兇漢，可是在她眼中，仍覺得他只是一個頑皮的孩子，彷彿還像幼時和她一塊兒嬉戲的樣子。其實除了她以外，世界上再也沒有別的婦人會爲他哀哭了。

亨利爵士說道：「今天自從華生醫生出去以後，我就在屋中獨酌。我想，我既答應過，便不能不遵守我的信用。假使我先前不曾發誓我決不單身獨出，今天黃昏也許更有趣些。因爲史台柏曾差人送信來，叫我到他家裡去玩。」

福爾摩斯簡單地道：「不錯，你假使去了，一定很有趣的。但你總不願意聽到我們爲了你折斷頸子而哀哭吧？」亨利爵士張大了眼睛，驚道：「這是什麼意思？」

福爾摩斯道：「這不幸的犯人，穿了你的衣服，竟使我們誤會。我想你的僕人，把你的衣服給那犯人，也許會因此被警察盤問呢。」

「不用擔心，這是不會的。我的衣服上毫

無特別的標識。」

「這樣，卻便宜了你的僕人。其實你們幾個人，都佔了便宜的，因爲這件事你們在法律上都應被處分的。假使我是個守法的偵探，第一步先要把這屋子裡的人全部捕去。須知華生的報告，就是你們最好的罪狀。」

男爵問道：「但我們這件案子怎麼樣了？你在這疑團中有找出些線索嗎？我覺得我和華生到了這裡以後，在案子上並無進步。」

「我想不久我就能把這裡面的情形弄明白了。但有一件最困難而複雜的事情，現在還沒有明白，不過不久也可以有希望了。」

「我們有一個經歷，華生一定已告訴你了。我們聽到曠地上的狗嗥聲音了，我敢發誓，這決不是屬於傳言的。我在美洲西部的時候也養過狗，因此一聽到聲音，便確知是狗。假使你能夠用個嘴套，套在這狗的頭上，再用鍊條鎖住牠，那麼，我敢說你就是一個舉世無雙的大偵探了。」

「我想你若能助我一臂之力，我自然能夠用套鎖住他的。」「你要我任何幫助，告訴我便是。」

「很好，但我需要你只依命令地去做，不要時常發問。」「那可依你。」

「如果你能夠照著我的話行事，我想這小小的問題，不久便可以解決。」

「我確信……」他突然停住說話，眼睛凝注在我頭上的空中。燈光照在他的臉上，我見他那種斂神專注的樣子，眞像一個石像，分明他的神經已完全緊綳了。

我們同聲道：「什麼事？」

我見他把眼光移下時，似正竭力遏制他心

中的感情。他的面容仍很鎮定，但他的眼中卻含著些笑意。

他把手向著牆壁上的一排畫像揮了揮，答道：「對不起，我剛才鑒賞出神了。華生常認爲我不懂得藝術，其實只是因爲我們的見解不同，他嫉妒我罷了。現在這幾張畫照，實在是很精妙的。」

亨利爵士以詫異的眼光向我友瞧了一瞧，說道：「你說這樣的話，我很高興。我不敢自稱懂得這種東西。我對於檢選一張圖畫，實在不及挑一隻馬或一隻鹿來得高明。沒想到你竟有閒工夫注意這樣的東西。」

「我一見了好的東西，便能立刻辨別的。那個穿藍綢衣的貴人一定是賴勒（德國畫家）的作品；還有那個戴假髮的紳士，必是瑞諾之（英國畫家）的手筆。我想這些都是你族人的畫像吧？」「正是，都是的。」

「你知道他們的名字嗎？」「白瑞莫已把他們的名字告訴我幾遍，我想我勉強可以指得出來。」

「那麼，這個拿望遠鏡的紳士是誰呢？」

「他是海軍少將巴斯克維爾，曾在西印度當兵，隸屬勞特奈將軍那支。那個穿藍衣手中拿著一卷紙的就是威廉·巴斯克維爾爵士，他曾在下議院做過議長。」

「那個在我對面，穿黑絨衣作騎士打扮的，又是誰呀？」

「唉，這個人你應當知道的。他是一切禍患的起源，巴斯克維爾的怪狗就從他身上發生的。他就是惡名昭彰的許谷，我們實在不能忘記他的。」

我也瞧著那個畫像，十分專注。

福爾摩斯道：「唉，他看來好似一個安嫻馴良的人，但他的眼神確含著暴戾之氣。他實在是一個不守規律的剛愎人物。」

「這一定就是他。他的名字，和一六四七年的年代，都寫在畫像後面。」

福爾摩斯又說了幾句，但對於這個膽大妄爲的人的畫像。卻非常注意。他一邊進餐，一邊仍注目在牆上，直到最後亨利爵士已回臥室，我才能問他心中的意思。他手中執著一根蠟燭，重新領我走進餐廳。他把那蠟燭照近牆上的那個畫像，問道：「你瞧出什麼嗎？」

我瞧那廣闊的帽簷，捲曲的額髮，和白邊的衣領，那面容在這兩種東西之間，似看不出怎樣暴戾，只顯露出一種嚴肅而剛毅的樣子。他的嘴唇很薄，眼光中也有冷肅的神情。

福爾摩斯又問道：「你瞧這像，像什麼你所認識的人？」我道：「下巴很像亨利爵士。」

「也許是。但你再仔細瞧瞧看。」

他取過一把椅子，站在椅子上，將蠟燭移到左手，屈著他的右臂，把那像上的廣簷帽和鬈髮等掩去。我不禁驚呼道：「天啊！」

原來，這時候那像中的面貌，竟變成了史台柏了。

福爾摩斯道：「哈，你也瞧出來了。我的眼睛善於辨別面貌，決不致被面貌以外的裝飾所蔽。這就是當偵探的第一種本領，這樣，見了化裝的人，才能一目瞭然。」「這卻奇怪了，這明明是史台柏的畫像。」

「是啊，這是一個遺傳學上的例證。不但身體上，連性情方面也都相同之處。所以若把一家族的肖像仔細研究過，那正是研究遺傳學的一種好材料。那人一定是巴斯克維爾家族的一支。」「外表上的確像是遺傳自巴斯克維爾家族。」

「正是，我們偶然看見了這一張畫像，竟提供了我們一個遺漏的節環。華生，我們已可捉到他了。我敢說不到明天晚上，他便會投到我們羅網中來，就像那些蝴蝶飛撲到他的捕蝶網中一般。一枚別針，一塊軟木，和一張硬紙，我們就可把他搜羅到貝克街的標本貯藏室裡去。」

他從那畫像上回頭走下來時，禁不住縱聲大笑。我平日不常聽見他笑，他一發笑，一定有什麼人要厄運臨頭了。

第二天早晨我起身很早，但福爾摩斯比我更早。當我在梳洗的時候，他已從外面進來。

他搓著兩手，顯出快樂的樣子，說道：「今天我們要忙一整天哩。我們的網已完全張好，現在就要開始把網拉起。我們在今天入夜以前便可知道我們究竟能不能夠把這一條大梭子魚捉住？或是從網眼中逃去？」我道：「你已到曠地上去了？」

「我到過格林朋村，發一個消息給王子鎮監獄，報告他們賽爾丹的死訊。我現在可以對你說，你們這裡的人，決不會再有被牽連的危險了。我又和那忠誠的卡立德通過消息，我若不把我安全的情形告訴他，他一定會死守在石屋的門外，不能安心。」

「之後的步驟要如何？」「那要見了亨利爵士再說。啊，他來了。」

亨利爵士道：「福爾摩斯，早安。你眞像大戰時的主將，此刻忙著佈置指揮。」福爾摩斯道：「這個比喻眞恰當。華生正在請求我的命令。」「我也要來請求了。」「很好，我聽說你今夜有約，要到史台柏家裡去晚餐。」「是啊！我希望你能夠一塊兒去。他們是很喜歡賓客的，我深信他們一定很高興見到你。」「華生和我二人要回倫敦去了。」「回倫敦？」「正是。我想此刻我們往倫敦去，比在這裡更有益處。」

亨利爵士變了臉色，說道：「我希望你把這件事辦徹底，你知道這爵邸和那廣漠的曠地，一個人住實在是很乏味的。」

「我的朋友，你應該完全信任我，並完全照著我的話行事，你可以對史台柏說，我很願意跟你一塊兒去，但有緊急的事情，不能不立刻回倫敦。我們希望不久我們可再到德文郡來。你可以為我傳這個口信嗎？」「假使你決定如此，我當然可以照辦。」「老實說，我的話不會改變的。」

我見爵士的臉上，忽然籠罩了一重憂鬱之色，對於我們的離去，似乎覺得很傷感。他冷冷地問道：「你打算什麼時候動身呢？」

「我們吃過了早飯便走。我們會先去庫姆·德雷西。但華生會把他的東西留在這裡，因為他還要回來的。華生，你現在可留一張字條給史台柏，告訴他，你很抱歉不能赴約。」

亨利爵士道：「我也很想和你們同往倫敦。我為什麼要一個人留在這裡呢？」

福爾摩斯道：「這就是你應盡的職責。因你已答應我，一切都依著我的吩咐行事。現在我就吩咐你留在這裡。」「既然如此，我就留在這裡便是。」

「還有一件事！你要坐馬車去梅里披屋，到了那裡，把馬車打發回來，讓他們知道你準備步行回家。」「從曠地上步行回來嗎？」「正是。」「但這是你時常禁止我不許這樣做啊！」

「這一次雖然要你步行經過，但我保證一定是安全的。我若不知道你確有充分的勇氣，我也不叫你這樣做。這一點非常重要，你要照辦。」「那麼，我就照這樣做吧。」

「你如果重視你的性命，那麼，你經過曠地的時候，不可任意亂走。你從梅里披屋出來以後，要一直朝格林朋路前進，那就是你回家時必經之路。」「我可以完全依照你的吩咐。」

「那很好。我一吃過早飯，就要動身，以便我午後時可以趕到倫敦。」

我聽了他的部署，心中暗暗詫異。我雖然記得福爾摩斯昨夜曾向史台柏說次日要回倫敦，但我不知道他要我一塊兒回去，也想不出在這緊要的時候，我們兩個人何以要一塊兒離開這裡？可是這種懷疑，沒法究問的，只有完全服從。因此，不久我們便和爵士分別。過了兩個鐘頭，我們已到了庫姆・德雷西車站。福爾摩斯把馬車打發回去。在車站的月臺上，有一個孩子等著。問道：「先生，有什麼吩咐？」

福爾摩斯道：「卡立德，你乘坐這班火車回倫敦，你到了以後，便用我的名義發一個電報給亨利・巴斯克維爾爵士，說我掉了一本懷中小冊，他假使拾到，應立即掛號寄回貝克街去。」「先生，知道了。」

「你去車站的辦公室問問，有沒有信給我。」那孩子應命而去，一會兒便已取了一張電報回來。

福爾摩斯接了電報，瞧了一瞧，便拿給我瞧。那電報道：「來電接到。我帶著未簽名的逮捕證就來。五點四十分可到。——雷斯特拉」

福爾摩斯道：「這就是我早晨所發電報的回音，他是官方偵探中最幹練的。我想我們也許需要他的幫助。華生，我想我們現在應當去訪問你所認識的羅拉・萊恩斯了。」

他的計劃此刻已漸漸明朗了。他要藉著亨利爵士，讓史台柏相信我們已回到倫敦。其實我們到了需要的時候，可以立刻登場。那倫敦發來的電報，如果亨利爵士也向史台柏提起，史台柏自然更確信我們已回到倫敦，不會懷疑了。我覺得我們的羅網果真已逐漸收束，要把那一條梭子魚包圍起來了。

羅拉・萊恩斯太太恰在她的辦公室裡，我們一進去後，歇洛克・福爾摩斯立即和她開誠談判，她非常詫異。

福爾摩斯道：「我現在正在偵查關於查爾斯・巴斯克維爾爵士的死因。我的這位朋友華生醫生已告訴我，你和他的談話內容，並說你把與這事有關係的情形，隱瞞不說。」她很傲慢的問道：「我隱瞞些什麼？」

「你承認，你請求查爾斯爵士在十點鐘時到通松徑的門口相會，我們知道這就是他暴斃的時間和地點，你卻把這兩件事的關係隱藏著不說。」「這裡面沒有任何的關係。」

「假使如此，這樣偶然的巧合，可說是非常奇怪的了。但我想我們總可以查出一個關係點來。萊恩斯太太，我願和你開誠布公。我們覺得這是一件謀殺案。從證據上看來，這事不但牽涉你的朋友史台柏先生，連他的妻子也有關係呢！」

那女子一聽，忽從椅子上跳起來，大聲呼道：「他的妻子！」

福爾摩斯道：「這件事已不能再保密了。那個他稱為妹妹的女子，其實是他的妻子。」

萊恩斯太太重新坐下，兩手扶住了椅子的

手把。我見她的手因用力握緊的緣故，粉紅的指甲霎時都變成白色。

她又呼道：「他的妻子！他的妻子！他是一個未婚的人啊！」

歇洛克·福爾摩斯聳了聳肩。

她又道：「你拿出證明來！你拿出來！你若能如此……」這時她兇惡的眼光比她的話更表現得明白。

福爾摩斯從衣袋中摸出幾張紙來，一邊答道：「我早準備如此的。這裡有一張照片，就是四年前他們倆在約克郡拍的，照片下面的簽名是『范第勒先生和太太』，那時候他們還開了一間聖歐列佛小學。這便是關於他們的記載，並且都是出於可信的證人所提供，你不妨仔細看一遍。我想你對於這兩個人的眞面目，大概不致再有什麼疑惑了。」

她把這幾張紙接過來，看了一遍，隨即抬起頭，臉色變得非常可怕。

她道：「福爾摩斯先生，這個人曾向我求婚，並要求我和我丈夫正式離婚。他竟敢騙我！這個惡漢竟沒有一句眞話！爲什麼呢？我起先以爲他也許爲了我的緣故，但現在我已明白，我在他的眼中，只是一顆棋子罷了。他既不以誠意待我，我何必遵守什麼信用呢？我何必再爲他隱瞞他的惡行？你們儘問我，我決不再隱瞞什麼。但有一點我敢向你們發誓，當我寫信給老爵士的時候，做夢也想不到他會有什麼意外的災禍。他原是我一個最好的朋友。」

歇洛克·福爾摩斯道：「夫人，我完全相信你。這件事情若叫你述說出來，你也許要感受痛苦，不妨讓我說出來，如果有什麼錯誤，你再改正，那似乎更容易些。你寫給老爵士的那封信，是史台柏叫你寫的？」「是。信中的一字一句，也都是他口授的。」

「我想他叫你寫信的理由，是請求查爾斯爵士濟助你關於離婚事上的費用，對嗎？」「正是。」

「你寄信以後，他是不是又勸你不要踐約呢？」「他說他仔細一想，這件事假使請求別人的濟助未免有損他的人格。因此他自己雖不富有，也當盡他最後的財力，消除我們中間的障礙。」

「他說這話，是要顯出他是很有品格的。但之後你是否就沒有聽見什麼消息，直待你讀報以後，才知道老爵士暴斃？」「正是。」

「他隨後又叫你發誓，不要把你和查爾斯爵士的事說出來。對嗎？」

「沒錯，他說老人的死，非常詭祕。我和他的約會，假使被人知道了，我一定會受到懷疑。他恐嚇我，所以我始終守著祕密。」「是的。但你應該也懷疑他了吧？」

她顯出猶豫的神色，把頭低下去，她答道：「我知道他的企圖。但假使他對我堅守信約，我一定也要爲他守密的。」

福爾摩斯道：「我想就大體而論，你還算是幸運，他本在你的掌握之中，他也知道的，但他卻能設法籠絡你。你在這幾個月中差不多已走到了懸崖邊，此刻你總算可以逃生了。萊恩斯太太，祝你早安。我想不久你便可以聽見我們的消息了。」

我們出來後，到車站等候倫敦來的快車時，福爾摩斯向我說道：「我們的這件案子，難點逐漸解決，已快到圓滿的時候了。我短時間中，就可把近代最奇特動人的一樁犯罪事實寫成小說了。研究罪犯學的人，一定記得一八六六年時，小俄羅斯的果德諾地方發生過一件類似的案子；此外在北卡羅萊納州的安德生謀殺案。這一件案子，都有幾個特殊之點更讓人驚奇。須知直到現在，我們還沒有確切的證據足以使這個可怕的人服罪。但假使我們今夜就寢以前，還不能完全解決，那未免太損我的名聲了。」

一會兒，倫敦的快車已進了車站，一個瘦小的人從頭等車廂跳下。我們三個人都握了手，我見雷斯特拉瞧著我的同伴，露出一種敬重的樣子。因爲他自從和我友合作以來，已從我友那裡長進了不少。我還記得他起先常譏笑我友注重假設，後來這個注重實驗的人竟也驚服心折了。他問道：「有好消息嗎？」

福爾摩斯道：「這可說是近數年中最大的案子了。此刻離出發的時間還有兩個鐘頭，我想我們可利用這個時候進些晚餐。雷斯特拉，待會兒我們可以讓你把咽喉中的倫敦霧氣吐出來，讓你呼吸些清潔的曠地空氣。你沒有到過那裡嗎？好，我想你去過一次以後，決不會忘記的。」

第十四章　恐怖的怪物

在有些人想來，福爾摩斯有一個缺點，在案子完全結束以前，他絕對不肯把他的全部計劃向任何人說明。一半是因著他天生喜歡讓他左右的人驚異出神，一半則是因他職務上的謹慎，不宜隨時宣布，以防因此發生阻礙。但因這個緣故，那些和他共事及做他助手的人，未免要覺得難受。這種情況我經歷不止一次，但沒有像這一次驅車向黑暗中前進的時候，那麼納悶不耐。我知道有一齣重要的戲等著我們。我們的行動就要到盡頭了，但福爾摩斯卻始終不說什麼，我在無聊之餘，只能暗中猜測。不久，一陣陣的寒風吹到我們的臉上，兩旁都是暗黑的空地，我們便知道已回到曠地上了。馬每踩一步，車輪每轉一圈，就讓我們和那冒險的事更近一些。

我們的談話，因為對臨時雇用的車夫有所顧忌，因此只能談些無關緊要的瑣事。後來車子經過了佛蘭加的屋子，我知道我們已將近爵邸了。我們的車子不到門口，就在那樹蔭的路口停住，我們下車付了車資，吩咐車夫仍回庫姆・德雷西去。接著，我們三個人就開始朝梅里披屋走去。

福爾摩斯問道：「雷斯特拉，你有帶武器來嗎？」

那瘦小的偵探笑了一笑，答道：「我只要一天穿著褲子，就一天帶著手槍。因為我褲腰上有一個袋子。袋中總有些東西的。」「好，我的朋友和我二人也早已準備了。」

「福爾摩斯先生，你對這件事，似用了全力。這究竟是什麼玩意兒呀？」「就等著吧！」

雷斯特拉向四週瞧了一下，見了那左右兩旁灰暗的小山，打了一個寒顫。他說道：「這實在不是一個有趣的地方。」說著又瞧著格林朋泥潭的方向，說道：「我們的前面有燈光呢！」

福爾摩斯道：「那是梅里披屋，就是我們行程的終點。我請你用腳尖走，也不要說一句話。」

我們很小心地從那通道向屋子前進，但是到近屋約二百碼時，福爾摩斯忽阻止我們前進。

他低聲道：「就在這裡好了。右邊的幾塊大石，儘可以做我們的藏身地點。」雷斯特拉道：「我們在這裡等嗎？」

「正是，我們可以埋伏在這裡。雷斯特拉，你到那石穴裡去。華生，你不是到過屋子裡面去嗎？你能指得出裡面各室的位置嗎？那個有格子窗的是什麼地方？」

我道：「我想是廚房的窗口。」「還有隔壁光線明亮的那一個窗戶呢？」「那一定是餐室了。」

「那窗的窗簾捲起著，你對這地方熟悉些，現在且悄悄地潛行著過去，看他們在那裡做些什麼。但你決不可讓他們知道有人監視著！」

我躡手躡腳彎著腰前進，到了一堵圍著菓園的短牆外面站住。接著，我又沿著那牆前進，直走到一個可以望得見那個沒有放下窗簾的窗口。

室中只有兩個人，就是亨利爵士和史台柏。他們靠著一張圓桌坐著，都側面向我，嘴裡各吸著一根雪茄，咖啡杯和酒瓶都在他們的面前。史台柏談得非常起勁，但男爵卻神色頹喪，似乎他正想到要一個人從那可怕的曠地上步行回去，便不禁擔心起來。

我正在向他們偷瞧的時候，史台柏站了起來，從室中走出。亨利爵士把他的酒杯重新注滿，然後靠著椅背，吐吸他的雪茄。我忽聽見開門的聲音，接著是靴子在石徑上行走的聲音。那腳步聲從我藏身的短牆那一邊經過，我抬起頭來瞧，見史台柏走到菓園一角的一宅小屋門前，停住了拿出鑰匙，打開門上的鎖。當他進去的時候，小屋中忽然發出一陣亂走的聲音。不一會兒，他就從裡面出來，重新把門鎖上，從短牆的那邊經過，進屋去了。我一見他走進了餐室，就急忙回到同伴們等候的地方，告訴他們我所見的事情。

福爾摩斯聽我說完，問道：「華生，你說那女子不在那裡？」我道：「不在。」

「那麼，她在那裡呢？因爲除了那廚房以外，別的窗裡並沒有燈光啊？」「我想不出她在那裡。」

在格林朋泥潭的上面，常飄浮著一重白色的濃霧。這濃霧此刻正向著我們的方向緩緩過來，望去恰像一堵低厚的牆壁，把另一邊的情景隔住。月亮已經昇起，寒光照在霧上恰像一座冰山，後面只有小山的尖端突出，瞧去更覺逼眞。福爾摩斯朝那裡望了一會兒，不禁有些焦急的樣子，道：「華生，這霧氣朝我們這裡來了。」我道：「這霧氣對我們的事有妨礙嗎？」

「有很大的妨礙。世上只有這種東西足以破壞我的計劃。但此刻已十點鐘了，他想必不會再耽擱太久了。我們的勝利和他的性命，關鍵全在他出來的時候霧氣是否籠罩這地方。」

夜氣晴好，天空也很乾淨。點點的星星和半彎的月兒都發出寒光照在曠地上。我們的前面就是那宅黑色的屋子，那鋸齒狀的屋頂和高突的煙囪，直刺銀色的天空。窗口中透出一條條金色的光線，經過了菓園，直射到曠地上面。有一扇窗忽然關閉了，那僕人們離開廚房，只有餐室之中仍留著燈光。那一個抱著謀殺意念的主人，和一個渾然不覺的來客，仍在那裡吸煙閒談。

時間一分一分地過去，那白色的重霧逐漸飄近，已罩住了平坦的曠地，而且越發朝這屋子逼近。那霧氣較薄的一部份，透出一道金色的光，但那菓園短牆較遠的一邊已瞧不見了。此外樹木的周圍，也都受了霧氣的包圍。我們瞧著那霧氣的進行速度，沒多久，屋子的兩角便都被濃霧所捲，屋子的上部好像一隻小船浮在大海一般。福爾摩斯用手在我們面前的大石上恨恨地擊著，且不耐地一直頓足。

他道：「假使他在一刻鐘內不出來，那條通道就要被霧氣所掩沒了。再過半個鐘頭，我們伸出手來，也要瞧不見了。」我道：「我們要不要退後些往高地上去？」福爾摩斯道：「好，到高地上去也可以。」

我們就向後退去，我們退到距離屋子半哩路時，那霧仍緩緩不停地過來，月光照在上面，眞像銀海一般。

福爾摩斯道：「我們不能再退後了。我怕我們距離太遠，他也許走不到這裡，就要遇害。無論如何，我們必須站在這裡。」他忽屈膝跪下，把耳朵湊近地面。他道：「謝天謝地！我聽見他往這裡來了。」

這時一陣急促的腳步聲，衝破了曠地上的沈寂。我們在大石背後，彎著身子，努力向前面望著，那腳步聲愈來愈淸楚。從那霧幕之中，走出一個人來，就是我們所等候的亨利爵士。他從霧氣中走出，踏進明朗的月色中時，似很驚慌，他向左右望了一望，便從那通道上走過，經過了我們藏身附近，就向後面的山坡上前進。當他前進的時候，不停地回頭瞧視，顯然他心中正感到不安。

福爾摩斯呼道：「小心！快準備好！那東西來了。」這時我聽到他準備手槍的聲音。

有一陣細小而模糊的聲音從那霧海的中心傳出。那霧離我們約有五十碼遠。我們三個人都張大了眼睛，向那霧幕瞧著，不知這裡面有什麼恐怖的怪物出來。我站在福爾摩斯旁邊，瞧見他的臉灰白而緊張，他的眼睛透過月光，

亨利爵士前進的時後，不停地回頭瞧視。

更顯得炯炯發亮。忽然，他的眼睛注視著一處，他的嘴唇也驚訝得張開著。這時，雷斯特拉驚呼了一聲，覆倒在地上，我往前跳一步，拿出了我的手槍。但是因爲那怪物從霧中直竄出來，嚇得我神志幾乎麻木不靈，那是一隻黝黑的大狗！這樣大的怪物，我從未見過！從牠張開的嘴裡，有火燄噴出，兩眼也圓灼發光。他

的口鼻、頸毛，和下巴也都閃閃發光。這樣恐怖的東西，平常便難得瞧見，就是在一個神經錯亂的人的惡夢之中，也不會湧現這猙獰可怕的東西。

一隻恐怖的怪狗

這隻大且黑的怪物，從霧海中出來了以後，一直向通道上奔去，很明顯的是朝我們的朋友的足跡追趕。我們因爲受驚過甚，一時都麻木不能動彈，竟讓牠從我們的前面經過。但我們隨後便恢復了神志，福爾摩斯和我二人同時開槍。那東西發出一聲怪叫，告訴我們至少有一粒子彈打中了。但那怪物仍不停止，繼續向前追去。距離較遠的地方，我們見亨利爵士正回頭看，在月光之中，只見他臉色發白，兩手高舉，分明已瞧見了那一隻追上去的巨狗，所以覺得很驚恐。

但那獵狗受傷的嗥叫聲，把我們的驚恐霎時化爲烏有。他既有感覺，一定也是一種有血肉的動物。假使我們會讓他受傷，那可知我們也一定能致牠死命。我從來沒有見過什麼人比福爾摩斯在那晚跑得速度更快。我是向來善於跑步的，我雖然跑在那瘦小的雷斯特拉前面，福爾摩斯卻在我的更前面。我們飛也似地向前奔跑，一邊聽到亨利爵士的驚叫聲，一邊又有那巨狗的吼聲。趕到時，恰見那惡獸直向亨利爵士的身上撲去，爵士立即倒地，那惡狗的口鼻湊近爵士的咽喉。但在這個時候，福爾摩斯的手槍，早已連續發出五顆子彈，打在那怪狗的腹部。那狗發出最後的一聲慘叫，又向空中撲了一撲，便在地上亂滾，牠的四腳抽動了一會兒，便跌倒在爵士的旁邊。我走到那裡，邊喘邊彎著身子，把我的手槍抵在怪狗的頭顱，但這時已用不著扣扳機，因爲這大獵狗已經死了。

那惡狗的口鼻湊近爵士的咽喉

亨利爵士仍躺在地上，已完全不省人事。我們把他的硬領解開了，瞧他的身上毫無傷痕，知道還來得及挽救。福爾摩斯忍不住滿懷感激地開始禱告。不一會兒，我們見亨利爵士的眼皮微微睜動，好似要張開的樣子。雷斯特拉急忙將懷中的白蘭地酒灌入男爵的齒縫之中，於是那兩隻驚駭的眼睛便張了開來。

他低聲道：「我的上帝！什麼事呀？這又是什麼東西？」

福爾摩斯答道：「不管牠是什麼，這東西已經死了。我們已把你家族中的怪物永遠殲滅了。」

躺在地上的那怪東西，就牠的體形和大小上看來已很可怖。牠不是純種的血猩，也不是純種獒犬，是兩種的混合。他的身體足有一隻小獅子大，兇猛無比。此刻雖然已死，但那闊大的牙床，似乎還有火燄透出，那深陷而猙獰的眼光，也似留著餘火。我用手在他發光的嘴邊摸了一摸，當我的手舉起來時，我的手指上竟也一樣發光。於是我說道：「這是燐。」

福爾摩斯在那死狗身上嗅了一嗅，說道：「這是一場很狡猾的安排，這隻狗的嗅覺被控制了。亨利爵士，我很對不起你，竟讓你受這樣的驚嚇。我本準備好抵敵一隻獵狗，卻不料是這樣一種怪物；並且因爲大霧的緣故，也使我們不能夠早些見到牠。」亨利爵士道：「你已救了我的性命了。」

「讓你冒險了。你現在可以站起來嗎？」

「請再讓我喝一口白蘭地，我便可以完全恢復。唉，好了。現在請你助我一臂。你打算怎樣了事呢？」

「我們只能和你暫別。今夜你再也不必從事任何冒險的活動了。假使你願意等一會兒，我們總有人可以陪你回爵邸裡去。」

他勉強舉步，但他的臉色仍如死灰，手腳也顫抖不停。我們扶著他坐在一塊石上，他的兩手掩住了臉不停地發抖。

福爾摩斯道：「我們不能不和你離別了。我們還有別的工作，必須立刻處理。現在時間是很重要的。證據已經完備，就待捕捉那個人了。」

我們從那通道朝屋子去時，福爾摩斯又繼續道：「此刻我們想要在屋子中找到他，那只有千分之一的希望。剛才的槍聲，必已告訴他，他的計劃失敗了。」

我道：「我們距離略遠，並且有厚霧的阻隔，他也許聽不到槍聲。」

福爾摩斯道：「不，不，他一定是跟在那巨狗後面，準備隨時發令叫牠停止。我料他這時已走了。但我們總得在屋中搜一下子，才能確信。」

那屋子的前門開著，我們奔到裡面，在各室中亂闖。在走道，遇見那年老的男僕，他瞧著我們感到很驚訝。餐廳中已沒有燈光，福爾摩斯早已點亮了一盞燈，向屋子四處照驗，但竟瞧不見我們所要逮捕的人。到了樓上，忽見有一間臥室的門鎖著。

雷斯特拉呼道：「有什麼人在裡面？我聽到聲音了，快把門打開。」

有一陣呻吟聲和衣裳窸窣的聲音從裡面傳出。福爾摩斯舉起腳來，向那門鎖踢去，那門立刻開了。我們三個都執起手槍，衝到裡面。

但裡面並不見那個惡漢，卻另有一種奇怪和出乎意料的景象，使我們見了都出神呆立。

那室中的情形，眞像一個小小的博物館。四壁都是半截的玻璃箱子，櫥箱中排滿了蛾蝶類的東西，那分明就是這兇漢平日藉以消遣的成績。在這屋子的中央，有一根直立的柱子，似用來撐住屋面用的。在這柱子上，有一個人被綁著，那人的身上有被單圍著，一時竟瞧不出是男是女。有一條手巾圍著那人的咽喉，繞到柱子後面紮住；還有一條則是圍在那臉孔的下半部，只露出兩隻黑色的眼睛，眼中充滿了憂鬱、羞恥和害怕的疑問表情。一分鐘後，我們便把圍在嘴上的手巾，和捆縛的繩子解開，才見是史台柏太太倒在地板上，當她的頭垂到胸口的時候，我見她白色的頸上，露出一條條赤紅的鞭痕。

福爾摩斯呼道：「這個殘忍的惡漢！雷斯特拉，你把你的白蘭地酒拿來！快扶她坐在椅子上！她因爲受了這番磨折，要暈過去了。」

她重新張開眼來，問道：「他平安嗎？他

逃走了嗎？」福爾摩斯道：「夫人，他決不會

史台柏太太倒在地板上面

逃出我們的掌握的。」

「不，不，我不是說我的丈夫，我是問亨利爵士。他可平安？」「平安了。」「那獵狗呢？」「已經死了。」

她歎了一口氣，似安心得多。她又道：「謝謝上帝！謝謝上帝！唉，這個惡漢，瞧，他怎樣待我！」她說時從衣袖中伸出手臂，臂上佈滿傷痕，眞是慘不忍睹。她又道：「這還不算什麼！我的靈魂和意志更受他的摧殘。我只要知道他對我仍有一分情愛，那麼，任何虐待、寂寞，和欺悔的生活，我還能夠忍受。但現在我知道他並不愛我，只是他的玩物和工具罷了。」她說到這裡，禁不住哭泣起來。

福爾摩斯道：「現在你既對他既然已沒有任何地感情，就請你告訴我們，到那裡去找他。你先前如果曾助他作惡，現在就幫助我們贖你的罪。」

她答道：「只有一處地方，他可以逃避。在那大泥潭的中央，有一個以前產錫礦的小島。他之前就是把他的獵狗藏在那裡，並且準備把那裡當成一個避難的地方。那就是他惟一可逃匿的地方。」

這時窗外的霧氣竟像一堵白色的牆壁。福爾摩斯舉起燈起來，照視那窗。

他道：「瞧哪！這樣的重霧，我敢說沒有人能走進泥潭裡去的。」

她忽拍手大笑。她的眼睛和牙齒都露出一種恐怖的笑容。

她呼道：「他一定可以走進去，但也一定走不出來。像這樣的夜裡，他怎能瞧得見辨路的標記呢？在那通往泥潭的路上，我和他曾親手插下許多標記，當做進出的記號。我此刻十分樂意把這些標記全部拔起來！這樣，他自然就逃不出你們的掌握了。」

這時我們都清楚，在那霧氣散開以前，決不能著手追蹤。我們就讓雷斯特拉守著屋子，我和福爾摩斯二人陪著亨利爵士回宅邸裡去。史台柏的事，我們無法在男爵面前繼續隱藏了。他聽到他所愛的婦人的眞相，竟仍能保持他的鎭靜。但因爲先前的驚嚇，神經上受了劇烈的刺激，次日早晨忽發熱昏亂；因此就請了毛廸麥醫生爲他治療。後來我們決議，等到亨利爵士病好以後，就讓毛廸麥醫生陪他到世界各處去旅遊，以便亨利爵士回復他繼承財產以前的健壯活潑。

我記這篇奇怪的故事時，眞的很想把當時的恐怖、懷疑和悲慘的結局巨細靡遺地寫下，使讀者們能夠感受到實在的情景，只可惜故事接近尾聲了。在那獵狗擊斃的次日早晨，霧氣消散後，我們照史台柏太太的引導，進入那曲折的通路，一同走進泥潭裡去。我們見她領路時非常高興愉快，似急想讓我們把她的丈夫逮捕，可見她從前實在飽受他的虐待，因此，此刻才會如此深怨痛恨。我們走進了泥潭裡面，就把她留在一塊乾硬的泥上。那裡有一根根的小木標，插在一堆堆的亂草之中，提醒路人除了那曲折的通道，別處就有性命的危險。那泥潭和淺水之中，有許多野生的植物，植物已腐爛，發出了一種臭味，一股瘴癘之氣直撲我們的鼻子。有時我們偶一不愼，失足落空，便踏進黑色流動的泥潭裡去。潭深及大腿，泥潭邊上的野藤，常鉤住我的腳跟，一不小心就會被這藤蔓拉下深潭裡去。這時，我們瞧見一個足跡，顯見有一個人已經先在這條危險的路經過，在一叢野草的下面，有一個黑色的東西。福爾摩斯冒險踏進潭去，抓取那個東西。但他陷下去很深，若不是我們把他拉住，他一定不能再回到乾地上來了。他拿回來的是一隻黑色的靴子，靴子裡面的皮上還印著靴鋪的店名和地址。

他道：「洗一個泥浴也不錯，這就是亨利爵士所丟掉的一隻靴子。」我道：「一定是史台柏逃走時丟在這裡的。」

「是啊，他把這靴子當做引動那獵狗嗅覺的東四，那狗聞了這靴子的味道，便朝亨利爵士的蹤跡追去。後來史台柏知道他的計算失敗，拔腿逃走，但那靴子卻仍在他的手裡。一直到逃到了這裡，方才丟掉，這可知，至少逃到這個地方時他還是平安的。」

但此外的情形，我們竟無從知道。那泥塊上瞧不出什麼足印。因爲泥潭中的泥水盈溢出來，即使有足印，也都被掩住了。我們站在一塊乾地上面，向四周瞧察，完全瞧不出什麼跡象。料想史台柏應該沒有走到那個他準備藏身的小島。他前夜冒霧而來，大概在這泥潭的什麼地方，失足陷下，因此這冷血和殘忍的惡漢，必已葬身在這可怖的深潭中了。

我們到了小島以後，便發現許多遺跡，顯見那就是他先前藏匿那獵狗的地方。島上有一個很大的輪盤和一口礦井，的確是一個廢棄的舊礦。那裡還有幾間礦工們住的小屋，但因四周的水氣熏蒸，已大半毀壞。在小屋的一處，有一根鍊條，和不少咬斷的骨頭。骨頭堆中有一個頭顱，黏著一撮棕色的毛，看起來像是什麼獸類的頭顱。

福爾摩斯呼道：「一隻狗！啊，這是一隻鬈毛的獵犬，可憐的毛廸麥，不能再見到他的寵物了。現在我覺得已沒有什麼尚未弄清楚的祕密了。他之前把狗藏在這裡，卻不能禁止那隻狗吼叫，因此雖是白天，那奇怪的聲音，也會傳進人們的耳朵。在緊急的時候，他也可以把狗移藏在他自己家裡的外屋。這樣做是有些危險的，他自以爲最後的時機已到，他的工作已到了圓滿的時候，因此預先將狗從這裡引出，藏在他的家裡。這鉛罐中的膏漿，是一種發光的混合物，不用說就是用來塗在狗嘴上的東西。他無非是想利用巴斯克維爾家怪狗的故事，藉此把老查爾斯爵士嚇死。現在可以知道那可憐的逃犯，所以狂呼奔逃，也就因爲見了這恐怖的東西的緣故。即使我們易地而處，在黑暗的曠地上，忽瞧見這樣的怪物從後面追來，我們也不免要驚駭呼號了。這實在是一種狡毒的計策，他利用這隻猛狗，不但可以弄死他所要謀害的人，並且也讓這裡的村民們不敢追究。試想，有人曾在曠地上見過這個怪物，就足已使他們嚇個半死，他們那裡還有膽量敢出來證實和查究？華生，我在倫敦已說過了，此刻再說一次。我所經歷的那麼多惡徒，沒有比這個躺在泥潭裡的朋友更奸險的。」他說這地方揮了一揮。

話的時候，伸出他的手臂，向著那野草蒙茸的

第十五章　最後的解釋

現在已是十一月底。一個多霧的晚上，我和福爾摩斯在他貝克街寓裡的起居室，靠著熊熊燃燒的壁爐兩旁坐下。自從我們在德文郡結束了那件慘案以後，他又經手偵查了兩件重要的案子。第一件就是拿派連爾俱樂部中的紙牌舞弊事件，他查明這件不名譽的行爲是黑波荷上校幹的；第二件案子，他幫一位法國婦人蒙德邦錫夫人辯護，因爲人家都說夫人謀殺她的繼女，福爾摩斯竭力爲她平反，果然在六個月後，探知那位繼女克麗女士仍舊活著，她已在紐約和一名男子成婚了。我的朋友因爲連續在幾件困難的疑案上勝利，不禁洋洋得意。我見他如此，就乘機請他講述巴斯克維爾的詳情。我等待這機會已好久了。因我知道他在進行案子的時候，決不願讓已往的記憶阻擾他對於新案子的一貫思緒。那時亨利爵士和毛廸麥醫生恰在倫敦，他們正準備遠遊，以便舒緩爵士緊繃的神經。那天下午，這兩個人曾到我們寓裡來造訪，所以這實在是一個大好機會，我們很自然地重提舊話了。

福爾摩斯說道：「這件事的全部情形，從那自稱史台柏的人的角度去推想，就會覺得非常簡單。不過我們既不知道他這舉動的目的，著手時所得到的線索又少，因此覺得非常複雜。我事後曾和史台柏太太作過兩次談話，現在這案子的情形我已完全明瞭，不再有什麼不清楚的地方了。你們可把我那依字母區別的探案紀錄翻開來，在那B字部，便能得到這案子的全部詳細情形。

我道：「你可以從你的記憶中，把這件事大略地告訴我嗎？」

「當然可以，但我不能保證我能記得一切的事實。一個人既已專心在一件事上，便會把已往的事情忘掉。一個辯護律師在開庭時辯護，對案情一定非常熟悉，但過了一兩個星期，那案子在腦中也許就模糊了。所以我每次從事新案，便將舊案忘記。克麗女士的案子已把這古邸的奇案，驅出我的腦海之外。明天也許還有別的案子佔據我腦袋裡的克麗女士案，及黑波荷上校一案的地位。現在你既要我講這件怪狗案，我不妨盡我所記得的說給你聽，若有遺漏的地方，請你隨時提醒。我經過偵察，發現邸中的畫像確實可信。這個自稱史台柏的人，實際是巴斯克維爾家族的一脈。他是查爾斯爵士幼弟羅傑的兒子。羅傑生時名譽不佳，曾逃往南美洲。傳說他在那裡沒有結婚就死了，其實他曾結婚，並生下這個兒子。他的名字也叫羅傑，和父親相伺。這孩子後來娶了哥斯大黎加的一個美女，名叫貝兒·格休，隨後他竊取了大宗的公款，便改名叫做范第勒，逃到英國來。並在約克郡的東部開設了一間學校。他之所以會開設學校，是因他在路上認識了一個患肺病的教師，他就利用了這個人的才能成立學校。那學校起先的聲譽很好，後來那教師死後，便逐漸走下坡，最後便失敗了。於是范第勒夫婦，又改名叫做史台柏。他收拾了剩下的資產，又定下了未來的計劃，便遷移到英國的南部來。他是研究昆蟲學的，我在大英博物館中查悉他在昆蟲學上很有名望。當他在約克郡時，還曾經是某種蛾類的首位發現研究者，故而范第勒的名字已在博物館中留名。現在我們要談到他後來的生活了。他一定是經過調查才知悉這巴斯克維爾的巨產還有兩個人有承襲的權利。他起初到德文郡時的目的雖然還不明確，但瞧他將她的妻子假稱妹妹，可見一定已不懷好意了。他想必要時以她爲誘餌，來達到他獲得巨產的目的。他第一步，就是設法住的和爵邸的地點相近；第二步，借著鄰居的名義，和查爾斯．巴斯克維爾爵士交好。查爾斯爵士曾說起他家中怪狗的故事，沒想到竟因此送了性命。史台柏從毛廸麥嘴裡得知老人的心臟不好，一受驚嚇，便足致命。又聽說查爾斯爵士非常迷信，對於那奇怪的故事深信不疑。故史台柏想出一個計劃，旣足以致男爵於死，卻又查不出害他的兇犯。他下定了這決心後，便著手進行。他決定利用一隻兇猛的巨犬，並以燐塗在狗頭，使人瞧了誤以爲鬼怪，這更顯出他計謀的狡猾。這狗是他從倫敦富爾門街販狗商人勞斯那裡買的。牠是最勇猛的一種獵狗。他帶牠到曠地時，必繞路前往，因此沒有讓任何人瞧見。那時他因爲採集昆蟲標本的緣故，探明了走進泥潭中央的通道，所以預先找好了一個藏狗的地方。他把狗藏進了小山以後，便等待下手的機會。他等候的時間是很長的。因爲那老爵士一到天黑，從不涉足曠地，也沒有法子引他出來。史台柏好幾次把他的巨狗放在曠地上，預備傷害老人，但都沒有效果。反而被曠地上的鄉人們瞧見。於是那怪狗的故事，就又得到了新的印證。他本希望他的妻子可以引誘查爾斯爵士，助他成功，可是也沒有成效，她不願把這個老人引誘到死路上去。史台柏雖然盡全力恐嚇，或用嚴酷的手段待她，她始終不肯答應做共謀。因此史台柏沒法可施，一時便不能進行。後來他發現有一個新機會來了，查爾斯爵士既和他做了朋友，又委託他做一個從事善舉的代表，於是羅拉・萊恩斯太太的那件事情就讓他得到一個機會。他表面上假裝是一個未婚男子，他和萊恩斯太太交識以後，便用手段籠絡她，聲言假使他和她的丈夫正式離婚，他就可娶她。但是他的計劃忽然到了一個緊迫的時刻，他知道查爾斯爵士聽毛廸麥的勸告，將要離開爵邸出遠門。當他從毛廸麥那裡得到信息的時候，還表示對於遠行的計劃十分贊同。那時他心裡盤算他的計謀不能再耽擱了，否則，爵士一經遠行，就要脫離他的掌握。他於是強迫萊恩斯太太寫一封信，請求老爵士在動身往倫敦的前一晚和她會一次面。發信以後，史台柏又假意變計，阻止她去赴約。這樣，才使他得到了一個他所久待的下手機會。他從庫姆・德雷西坐車回去以後，急忙把他的狗引出來，又在嘴巴塗上那發光的物質。他將狗帶到那扇門的門口，預料老人一定會在那門口等待。而那狗受了主人的指使，一見男爵，便跳過了門，向他追來。在那黑暗的樹徑之中，突然瞧見這一龐大黑色的怪物，張開了發光的嘴和眼睛，從後面追來，眞是非常恐怖。男爵於是向那松徑上奔逃，一路上不停地驚叫。他逃到了松徑的盡端，因爲受驚嚇，心臟病發，就倒地而死。男爵奔逃時，是在中間的沙石徑上，那狗則在旁邊的草徑上追奔，因此後來只瞧見他的腳印，卻不見狗足跡。那狗追到了老人倒下的地方，嗅得了老人既倒地而死，就轉頭跑了，所以留下許多腳印，事後被毛廸麥醫生瞧見。而這狗隨後被牠的主人喚去，重新藏進格林朋泥潭的島上。因此，這案子就成了一件疑案，無法解決，鄉民互相驚怪，最後，便交到了我們的手裡。這就是查爾斯·巴斯克維爾爵士的遇害情形了。你瞧他如此狡猾和周密，在洞悉他的內幕以前，本來是沒法查明案子的眞兇，讓他認罪的，因爲惟一的同黨，就是那一隻狗。這狗當然不會半途背叛；並且由於可怕的外形，更令人不敢逼近。此外還有兩個婦人和這案子有關，就是史台柏太太和萊恩斯太太。這兩個婦人對於史台柏都抱著懷疑的態度。史台柏太太早知道他對於老爵士的計謀，也知道有那隻獵狗；萊恩斯太太雖不知道這兩件事，但因爲老爵士的死，恰在她約而未踐的約會時間，這約會的事只有史台柏一個人知道，因此，她也不無懷疑。雖然如此，這兩個女子都屈服在他的惡勢力之下，因此他並不怕她們揭發。他的前一半計劃已成功，但後一半則更困難了。我想史台柏起初也許不知道還有一個巴斯克維爾的嗣子住在加拿大。後來他從他的朋友毛廸麥醫生那裡聞知，毛廸麥又把亨利·巴斯克維爾回英國的詳情告訴了他。史台柏第一個想法，也許想把這個從加拿大回來的少年，在倫敦時就設法弄死，不讓他踏到德文郡來。而自從他的妻子拒絕引誘老爵士入圈套以後，他已不信任她，他恐怕一旦和她分離，便無法控制她。所以當他到倫敦的時候，便帶著她一塊兒來，後來我查明他們倆住在克蘭文街梅克司私人旅館。這旅館是我當時差人去調查過的其中一家。他把他的妻子關在那旅館中，自己則裝上假鬍鬚，跟著毛廸麥醫生到貝克街來。跟蹤毛廸麥到了車站，又跟到拿森侖旅館。他的妻子本想破壞他的計劃，但她非常怕他——怕他嚴苛的對待——所以她不敢寫信警告那個被危險籠罩的人。如果她所寫的信，落到了史台柏的手裡，那她自己的性命一定也不保了。我們知道她就採用剪報通信的法子，信封上又故意寫成奇怪的筆跡。這封信到了亨利爵士手裡，就成了他處於危險環境的第一次警告。史台柏既打算後來也許又要利用那隻獵狗，所以也就著手竊取些亨利爵士身上的東西，讓狗認識這一種味道，才能追蹤。他放大了膽子，就急忙進行。後來亨利爵士的靴子遺失，不消說，就是他的計謀。至於竊靴的方法，必是他賄通了旅館的女僕，故而一偷便得，毫無困難。但不料第一隻竊去的靴子卻是亨利爵士新買來的，既未穿過便毫無味道，對於史台柏的計劃當然沒有用。他因此把這靴子拿回去，又竊取了另一隻舊靴。因這一事，便使我成立一種假設：我們的對手有一隻狗。否則，這兩靴除了給狗辨認味道的作用以外，再也沒有別種假設可以解釋。事情越發離奇的，便越應注意。所以對於一件案子的情形，經過了謹愼的推想和合乎科學方法的研究以後，那看來似乎最繁複的一點，也就是足以成爲解釋的要素。後來我們去旅館會見亨利爵士和毛廸麥醫生，史台柏就乘著馬車跟在我們的後面。從他熟悉我們的住所，認識我們的狀貌，又從他的行爲上看來，我認爲史台柏的犯罪紀錄決不止這一個巴斯克維爾案。因在這三年中，西部鄉間，曾發生四件竊案：竟沒有一件破獲，最後的一件就是五月間發生在佛克斯頓場的殺人竊盜案；有一個小孩子發現了那個戴面具的賊，便被開槍打死。我很懷疑這樣的事也許就是史台柏幹的。因此他在已往的數年中，實在是一個窮兇極惡的人。他的舉動敏捷，只要看他那天早晨從我們眼前逃去，便是一個例證。他藉由車夫嘴裡，故意把我的姓名傳給我聽，可見他的膽大無忌。從那之後，他知道我已承擔這件案子，他在倫敦城中勢必再也沒有下手的機會，所以就回到曠地，等候亨利爵士的蒞臨。」

這時我揷口道：「且慢！你所敍述的眞象非常確切。但有一點，你竟脫漏了沒有解釋。就是史台柏到了倫敦以後，那隻狗怎麼辦呢？」

「這一點當然也非常重要的，我也曾注意到，我深信史台柏有一個心腹。但這人對於他的一切陰謀未必知道，否則他不免要被這人挾制了。這個心腹就是梅里披屋中的那個老僕安東尼。他和史台柏的關係很深遠，當史台柏辦學校的時候，這老僕已與他在一塊，所以他對亨利爵士和那女子其實是一對夫妻，必也知情。這個人曾有一時失蹤不見，我又想他的名字叫安東尼，這不是英國常有的名字，像是西班牙人。雖然他也和史台柏太太一樣能說很好的英語，但口音上終有些牽強。我有一次曾見這老人照著史台柏標出的記號，從那格林朋大泥潭經過。所以我想他是在主人出外的時候，負責飼養那隻猛狗，但他對這狗的作用，也許並不知情。後來史台柏回到德文郡，你和亨利爵士也到了。我現在要告訴你，我那時候的情形怎樣。你也許記得，當我察驗那封剪貼的信的時候，曾仔細瞧察那信紙有沒有水印。那時因爲我把紙拿的離眼鼻很近，便嗅到一種香氣，辨出那是一種白茉莉香。香水的種類，常見的共有七十五種，當偵探的人必須能嗅辨得出，才可做偵查時的助力。在我的經驗中，有好幾次是因立即辨明香氣的緣故而破案。那時我覺得這種香氣是女子的，我便推想到史台柏是個可疑的對象。於是，你們在動身往鄉間以前，我已知這裡面有一隻猛犬，和那案中的主謀是什麼樣子的人了。到了這個地步，我的惟一工作就是偵伺史台柏的舉動，但假使我和你們一塊兒去，他勢必加強防備，我的計劃便難成功，故而我不讓任何人知道，連你也被隱瞞。讓人家以爲我還在倫敦，事實上我卻悄悄到了曠地。我在曠地上的經歷，並不像你所料想的那麼困難。我到了曠地後，大部分的時間住在庫姆．德雷西；那曠地上的石屋，只有在必要的時候才用來做臨時藏身的地方。我帶著卡立德一同去，這孩子裝扮成一個鄉間小孩，對於我很有幫助，我每天的食物和潔淨的硬領，就是靠他供給的。當我監伺史台柏時，卡立德便偵視你的行動，所以我對於各方面的情形都能掌握。我已對你說過，你給我的報告，一寄到貝克街後，立即轉送到庫姆．德雷西來，很迅速的。這報告很有用，尤其是史台柏已往的歷史，使我得到很大的助益。我也是因此才能得到這一男一女的眞相，及想到如何對付他們的方法。這件案子又扯上白瑞莫夫婦的親戚，所以弄得越糾結難解。還好後來你逐漸把這事的曲折弄明，我也憑觀察所得，想到這一步了。等到你發現我在曠地上時，我對於這案子的全部的情形已完全明白。可是在證據上還不充分，我仍不能提起控訴。在那裡，史台柏想要謀害亨利爵士，結果卻弄死了那不幸的逃犯，但這件事我們仍不能證明史台柏有謀殺的行爲。我覺得除了當場把他捉住以外，並沒有別的方法。於是我們只好讓亨利爵士單獨前去，在絲毫沒有保護之下，把他當做一種誘餌。後來照著這樣進行，雖使爵士受了一次很大的驚嚇，但我們到底把史台柏趕到了死路上去，結束了這件案子。我的本意並沒料到要亨利爵士受這樣的虛驚，但那惡獸的樣子如此恐怖，再加上霧氣突然發生，使我們不能早些看到牠，這些都是出我意料外的。不過還好總算成功，亨利爵士雖因此受驚，但毛廸麥醫生告訴我，只需出門略略靜養，便可復原。此次他出去旅行，不但可以調養他受驚的神經，更可排遣他受傷的感情。他對那女子的感情是很誠實且深切的，結果卻受了她的欺騙，這就是他覺得最難受的一點。現在我要報告關於這女子的情形了。史台柏對於這個女子顯然有一種駕馭的力量。這力量的成因也許是她對他的愛意，或是恐懼，或者兩種情緒都有。她接受他的命令，承認是他的妹妹，但他要叫她直接幫助他謀殺，卻沒有得逞，她打算警告亨利爵士，同時又不把她的丈夫牽連進去。故而她每逢有機會，總想這樣子進行。史台柏原本計劃把他的妻子當做誘餌。可是他見了亨利爵士對於他妻子有了一種戀慕的表示，再也按耐不住他的妒燄，一時便把他兇蠻的本性暴露出來。後來他假意向爵士道歉，交往得更加親密，於是便想，亨利如果時常到梅里披屋中，他所期望的機會想必不久就可以實現。但是到了他準備動手的那天，他的妻子忽然竭力反對他，因爲她已知道那逃犯的死因，又見那獵狗藏在外屋，而且亨利爵士那天晚上要到他們家裡用晚餐，顯見她的丈夫將下毒手。但是，她因反對她丈夫的惡謀，而激起了他的惱怒。他怒聲呵斥，並告訴他已另有所愛。於是她忠順的心馬上變成了恨惡。他覺得她會破壞他的計劃，就將她縛住，使她沒有機會警告亨利爵士。他認爲，他的陰謀成功以後，鄉人們對於男爵的死，必仍要歸咎於爵士家族中的怪史，他決不致受人疑難，那時他儘可再甜言蜜語騙他的妻子，使她回心轉意，要她將所知道的事情保守祕密。這一點我認爲他想得太天眞，即使我們不干預這事，他的罪惡也決不致永不被揭露。須知一個有西班牙血統的女子，受了這樣重大的污辱，決不會輕易就罷休的。我親愛的華生，沒想到我沒有參考我的紀錄，竟還能把這件奇特的案子追述出來。我覺得應該沒有什麼要點遺漏了。」

我道：「我還有一個小小的疑問。史台柏先前雖曾用他的狗嚇死了老爵士，但他決無法用同樣的方法，把亨利爵士嚇死的。」

「這狗是非常悍野的，而且那時必很饑餓，即使他的外表不足以嚇死爵士，至少也足以讓爵士失去抵抗的能力。這樣結果自然可想而知了。」

「不錯，還有一個難解之點。假使史台柏果眞成功，但他既然久居在別處，姓名又已改過，他憑什麼說他是巴斯克維爾的嗣子，而有繼承財產的權利呢？並且他既要請求襲產，又怎能免去人家的懷疑和偵查呢？」

「這眞是一個大難題，你要我解釋這點，我怕有些爲難。過去和眼前的事實，是在我偵查範圍以內，對於一個人未來的行動，那卻不容易解答。據史台柏太太說，她曾聽她的丈夫好幾次談起這個問題，據說有三種方法：第一，他事成後可往南美洲去，申請承襲這筆產業。因爲他可以到英國公使館去陳述，他本是巴斯克維爾的嫡族，這樣他就不必回到英國，也一樣可把這產業移渡過去。第二，他可暫時在倫敦，變了姓名逗留一陣，然後再出面請求襲產。第三，他可串通一個同黨，呈出些文件證據，證明他是一個正式的嗣子。我們從他的行徑上瞧來，便可確知他只要第一步計劃成功，襲產的問題，他終有解決的方法的。我親愛的華生，我們從事這一件疑難的工作，已有好幾個星期。今天晚上我們應把我們的注意力轉移到更有趣的地方。我已在漢格諾茲戲院裡訂了一個包廂，你聽過尙德．雷茲凱的樂曲嗎？那麼，我請你在半小時內準備好。往戲院之前，還可以順路在麥雪尼餐館進用一頓小小的晚餐！」

附錄一

眞實與虛幻之間——柯南・道爾與福爾摩斯

「倫敦的貝克街上，一個肩掛照相機的遊客在抬頭找尋門牌。商業大厦管理員白拉斯見了便說：『又來了一個。』果然那遊客在門外止步，略一猶豫，然後推門而入，走到擺在大堂的辦公桌前，面帶困惑的神情向白拉斯問路：『我想找二百二十一號B座福爾摩斯的住宅。』

這已是當天的第十二次，白拉斯重複解釋二一九號到二三三號歷來是阿比國民房屋協會的會址，並非福爾摩斯和華生住宅……每星期都有大堆信件寄給二百二十一號B座福爾摩斯收。郵局總是負責地把這些信件交給阿比國民房屋協會，由協會客氣地簡覆：『收信人已遷，現址不詳。』」（註一）

福爾摩斯這個角色誕生至今已有一百一十年。對於全世界無數的福爾摩斯迷來說，他們絲毫不會懷疑他存在的眞實性。自從柯南・道爾一八八七年賦予他生命之後，這個身材瘦削、有著鷹鉤鼻、頭戴獵帽、肩披風衣、口啣煙斗的人就永遠活在人們的心中。

這個角色創造之初，其實並沒受到太多的關注。一八八六年，柯南・道爾完成了《血字的研究》(A Study in Scarlet)之後，曾寄給「康希爾」雜誌，可是該雜誌並沒有意願刊登。之後，又轉寄了幾家出版社，仍不被採用。最後才由渥德·洛克公司買下，在一八八六年「比頓雜誌耶誕特刊」上發表，並於第二年出版單行本。全世界的福爾摩斯迷大概很難想像，他們心目中的大英雄的問世竟是如此一波三折。

柯南·道爾到底有什麼本事能夠創造出一個這樣活靈活現、家喻户曉的大偵探呢？要瞭解這一點，必須從他的生長背景講起。

柯南·道爾(Arthur Conan Doyle, 1859~1930)出生於蘇格蘭的愛丁堡。從小就對文學有濃厚的興趣。一八七〇年進入隸屬耶穌會的史東尼赫斯特(Stonyhurst)學院就讀(該校是全英國最著名的耶穌會學校)。一八七六年(十七歲)進入愛丁堡大學醫學院就讀。這些求學的過程，對他日後的創作影響深遠。尤其是醫學院強調歸納分析的方法，以及辨識疾病細微差異的臨床訓練，成就他塑造一個以科學方法辦案的偵探。在這段求學期間，他也遇到了一個對他影響至深的人——約瑟夫·貝爾教授(Dr. Joseph Bell)。這位教授在愛丁堡醫學院相當有名，很受學生的喜愛。他有一種特殊的能力，能立刻對一個素未謀面的病人斷出病症，並說出問診病人的職業、個性、生活習慣，以及曾在那裡服役，隸屬什麼兵團等。柯南·道爾對他這種「神奇」的能力相當著迷。而這位貝爾教授也就成了福爾摩斯的原型。柯南·道爾曾回憶到：

加博里歐(Gaboriau)（註二） 的作品在處理情節的轉折處不留痕跡，相當吸引我。愛倫・坡筆下那位能幹的杜賓偵探從小就是我的偶像。但是，我是否可能來點特別的呢？我想到了我的老師貝爾。想到他瘦削如鷹的臉龐，他那奇妙的方法，以及對於事情細節一語道破的驚人能力。如果他是一名偵探，一定能將這個迷人，卻欠缺章法的事業導入精確的科學之路。我想試試看是否能夠達到這種效果。在現實生活中都有可能的事，我爲何不將它帶入小說中呢？（註三）

在《血字的研究》中，貝爾教授的影像清晰地浮現。當福爾摩斯初次見到華生時就說：「我瞧你到過阿富汗。」這點著實讓華生感到驚訝。華生也形容福爾摩斯：「……身高在六呎以上，因爲過分瘦削，顯得頎長無比……他那細長如鷹喙般的鼻子，顯示他機警果斷……。」

一八八一年，柯南・道爾取得了醫師的資格，在一艘貨輪上擔任隨船醫生。次年，開始自己執業。雖然從事醫務工作，但是他仍對文學創作充滿熱情。此時他開始嘗試偵探小說的創作。除了以貝爾爲原型創作出福爾摩斯之外，爲了推動劇情的發展，他也安排了一個福爾摩斯的最佳拍檔——華生醫生。這個角色的塑造具有相當的意義。他不僅發揮了綠葉陪襯紅花的效用，也似乎產生了一些非預期的結果。這位醫生是福爾摩斯的好友，也可以說是他的助手，他與福爾摩斯經歷相同的事情，卻不像福爾摩斯具有敏銳的觀察與推斷能力（甚至有些遲鈍），因此福爾摩斯得以透過與華生的對話，將他的觀察與推理過程告知讀者，然後由華生以第一人稱的方式講述出來（除了「獅鬣」（The Lion's Mane）、「爲祖國」（His Last Bow）……等篇外）。這種第一人稱的敍述方法，讓讀者很容易地就進入了作者所鋪陳出的情境中。此外，華生這個醫生的身份與柯南・道爾具有高度的重疊性，讀者在閱讀的過程中很容易就把華生等同於柯南・道爾。如此一來就增加了故事的可讀性與可信度。因爲在讀者看來，柯南・道爾是在向大家講述一個「他」與「他的朋友」所共同經歷的眞實故事。再加上他們就住在倫敦貝克街二百二十一號B座（眞有此住址），也過著典型的維多利亞女王時代的生活：坐著大家熟悉的兩輪或四輪馬車出沒於倫敦街頭，有一個女房東兼管家婦負責幫他們傳遞來訪者的名片並引見客人，每天都閱讀「每日電訊報」，有時會去劇院欣賞音樂或看賽馬，遇到急事則去電報局發電報……。凡此種種，難怪讀者會這麼相信福爾摩斯與華生是眞有其人，彷彿走在倫敦的街道上，隨時都可能與他們擦身而過。

由於角色塑造的成功，故事情節懸疑緊湊，使得福爾摩斯探案受到了大家的肯定。一八八九年柯南・道爾繼續發表了第二個長篇《四簽名》（The Sign of Four），獲得了熱烈的迴響。不過他的醫生生涯卻不像他的文學生涯一般順利。他在倫敦的眼科診所門可羅雀，許多作品是他在診療室中完成的。這種窘境促使他在一八九一年決定棄醫從文，專心從事文學創作。

貝爾雖是福爾摩斯的原形，但他決非福爾摩斯的全部。因爲柯南．道爾本身的部分特質也融入其中。由於醫學院的訓練，使得他具備敏銳的分析推理能力，因此對於劇情的鋪陳與推理毫無困難。再加上從小母親就教育他要守法，尊重正義，培養他具備騎士的精神，所以他自然也會把這些精神注入他所創作的角色當中，福爾摩斯和華生都分享了這些特質。他們兩人在劇中協助警方打擊不法，幫助弱小與婦女，或者基於榮譽感與愛國心爲政府效命（例如在「爲祖國」一劇中幫助英國政府破獲德國間諜一案）等，這些正是騎士精神（或者可說是英國紳士精神）的具體展現。

福爾摩斯探案的成功，使得柯南．道爾名利雙收，約稿源源不斷。然而他開始厭倦不停地寫福爾摩斯，他抱怨福爾摩斯佔據他太多的時間，甚至把他的心靈從美好的事物中攫走。因爲柯南．道爾其實更喜歡寫歷史小說（註四）。一八九三年，他寫了「最後問題」(The Final Problem)，讓福爾摩斯與他的死對頭莫理亞提教授(Professor Moriarty)雙雙墜落瑞士的萊亨巴哈瀑布(Reichenbach Falls)中。柯南．道爾覺得鬆了一口氣，終於可以擺脫這個麻煩的公衆英雄，全心投入自己更喜歡的文學創作。不過福爾摩斯的死訊一宣布之後卻引發了讀者的錯愕與抗議（就連作者的母親也提出了抗議）。超過兩萬人取消訂閱連載福爾摩斯的「河濱」雜誌(Strand)，許多人傷心地爲福爾摩斯服喪以示哀悼，甚至有位女士還非常沒禮貌地寫信去指責他，劈頭就罵：「你這個殘忍的畜生！」這種種激烈的反應恐怕連作者都始料未及。儘管如此，柯南．道爾仍不爲所動。直到一九〇三年柯南．道爾才又讓他在「空屋」(The Empty House)一案中戲劇性地復活，重新展開他驚險、刺激的偵探生涯。

柯南．道爾傾畢生之力創作福爾摩斯的系列故事，總共寫了四個長篇，五十六個短篇。在故事的終了，他並沒有明確地交待福爾摩斯的最後去處，只是從故事中我們可以知道，福爾摩斯後來歸隱蘇薩克斯做「養蜂學」的研究。這樣的安排，對於廣大的福爾摩斯迷來說當然是很難接受的。許多人自圓其說地認爲，福爾摩斯明的是去做研究，暗地裡則是轉而爲英國情報局效命了。所以在「爲祖國」一案中可以發現福爾摩斯又重現江湖了！這種說法究竟是讀者一廂情願的解釋，或者果眞如此，其實已沒有深究的必要了。因爲誰會願意殘忍地去戳破心目中的夢想呢？不論如何，可以肯定的是，自從「空屋」一案奇蹟似地復活之後，福爾摩斯與華生就永遠地生活在濃霧彌漫的倫敦城中了。因爲就如一位研究福爾摩斯的學者史塔列特所言：「在烏有之鄉，在幻想的心裡，福爾摩斯和華生兩人，爲了愛他們的人永生不死。」

註釋

一　摘錄自一九七三年四月號的《讀者文摘》，頁一〇三—一〇四。

二　加博里歐(Gaboriau, Emile, 1823?～1873)，法國的小說家，有法國的愛倫・坡之稱。

三　本段文字摘譯自 Hodgson, John A., (eds.) *Sherlock Holmes: The Major Stories with Contemporary Critical Essays.* Boston: Bedford Books, 1994 (p.4)

四　柯南・道爾的一部歷史小說《白衣團》(The White Company)，曾有人讚美它是自《艾凡侯》(亦有譯爲《薩克遜英雄傳》)(Ivanhoe)以來最好的歷史小說。

附錄二

柯南·道爾(Arthur Conan Doyle)年譜

一八五九年　五月二十二日生於蘇格蘭的愛丁堡。

一八七〇年　進入隸屬於耶穌會的史東尼赫斯特(Stonyhurst)學院就讀。該校是全英國最著名的耶穌會學校。

一八七五年　完成史東尼赫斯特學院的學業，至奧地利的耶穌會學校留學一年。

一八七六年　進入愛丁堡大學的醫學院就讀，在那裡他遇到了對他影響深遠的約瑟夫·貝爾(Dr. Joseph Bell)老師——他就是福爾摩斯的原型。

一八八一年　大學畢業後，在一艘非洲西岸航線的客貨輪上擔任隨船醫生。

一八八二年　開始執業。

一八八五年　與露薏絲·霍金斯(Louise Hawkins)小姐結婚。

一八八六年　完成福爾摩斯探案的第一個長篇《血字的研究》。寄給「康希爾」雜誌，可是該雜誌沒有意願刊登。最後由渥德·洛克公司買下，在「比頓雜誌耶誕特刊」上發表。

一八八七年　《血字的研究》單行本發行。
一八八九年　發表福爾摩斯探案的第二個長篇《四簽名》。
一八九〇年　發表歷史小說《白衣團》(The White Company)。曾有人讚美這部作品是自《艾凡侯》(Ivanhoe)以來最好的歷史小說。
一八九一年　去維也納研讀眼科學。隨後在倫敦開設眼科診所，但生意清淡。決定棄醫從文，專心從事文學創作。
一八九二年　將發表的十二個福爾摩斯探案短篇故事，集結成第一個短篇《冒險史》。
一八九三年　妻子露薏絲罹患肺結核。
在「最後問題」一篇中宣布了福爾摩斯的死訊。暫時結束有關福爾摩斯的創作。
一八九四年　將之前陸續發表的十一個短篇故事，集結成第二個短篇《回憶錄》。
一八九七年　認識琴・賴基(Jean Leckie)小姐，並墜入情網。
一九〇〇年　赴南非，以軍醫的身分參加布爾戰爭(Boer War)。並發表作品《大布爾戰爭》。
一九〇二年　受封騎士爵位。
發表福爾摩斯探案的第三個長篇故事《古邸之怪》。

一九〇三年　由於廣大讀者的要求，福爾摩斯在「空屋」一案中復活了！

一九〇五年　出版福爾摩斯探案的第三個短篇故事集《歸來記》。

一九〇六年　妻子露薏絲去世。

一九〇七年　與琴．賴基小姐結婚。

一九一五年　出版福爾摩斯探案的最後一個長篇《恐怖谷》。

一九一六年　宣布轉向性靈學的研究。

一九一七年　出版福爾摩斯探案的另一個短篇故事集《為祖國》。

一九一八年　出版《新啓示錄》（The New Revelation）一書。此書是柯南．道爾轉向研究形而上學之後，有關這方面的第一本著作。

一九二七年　出版福爾摩斯探案的最後一個短篇故事集《福爾摩斯個案紀錄》。（編者案：本局將最後的兩個短篇故事集合併成本系列故事的最後一個短篇《新探案》。）

一九三〇年　七月七日與世長辭。

參考書目

中文部分

呂美玉　〈永生不死的福爾摩斯〉，中國時報四十三版，一九九七年二月十六日。

黃永林　《中西通俗小說比較研究》，臺北：文津，一九九五年。

彼德・布朗恩(Peter Browne)　〈福爾摩斯永在人間〉，《讀者文摘》四月號，一九七三年。

林　瀅　〈「偵探小說迷」倫敦朝聖（上）〉，《推理雜誌》一五一期，一九九七年。

范伯群　《偵探泰斗——程小青》，臺北：業強，一九九三年。

　　　　《民國通俗小說鴛鴦蝴蝶派》，臺北：國文天地，一九八九年。

徐淑卿　〈推理小說重現江湖〉，中國時報四一版，一九九七年九月十八日。

程盤銘　〈福爾摩斯是如何創造出來的？〉，《推理雜誌》一四六期，一九九六年。

　　　　〈福爾摩斯探案中的社會背景〉，《推理雜誌》一四七期，一九九七年。

　　　　〈福爾摩斯之前應用推理法的前輩們〉，《推理雜誌》一四八期，一九九七年。

　　　　〈福爾摩斯探案與偵探小說的定型〉，《推理雜誌》一四九期，一九九七年。

〈福爾摩斯的行業：私家偵探〉，《推理雜誌》一五〇期，一九九七年。
〈福爾摩斯探案在偵探小說中的地位〉，《推理雜誌》一五一期，一九九七年。
〈福爾摩斯年譜〉，《推理雜誌》一五二期，一九九七年。
〈福爾摩斯偵探術〉，《推理雜誌》一五三期，一九九七年。
〈福爾摩斯的俠義精神和越權行爲〉，《推理雜誌》一五四期，一九九七年。
〈福爾摩斯與公家警察〉，《推理雜誌》一五五期，一九九七年。
〈抬舉福爾摩斯成名的選手們〉，《推理雜誌》一五六期，一九九七年。
〈福爾摩斯探案的「眞經」與「僞經」〉，《推理雜誌》一五七期，一九九七年。
〈福爾摩斯探案中的「中國」〉，《推理雜誌》一五八期，一九九七年。

新潮推理編輯室　〈偵探小說的開拓者……柯南．道爾〉，臺北：志文，一九九五年。
〈柯南．道爾的生平與其作品〉，臺北：志文，一九九五年。
〈家喻戶曉的福爾摩斯〉，臺北：志文，一九九五年。
〈柯南．道爾年譜〉，臺北：志文，一九九五年。

鄭麗園　〈貝克街二二一號〉，《英國女王有請！》，臺北：聯經，一九九六年。

盧郁佳　〈百分百死亡遊戲〉，聯合報四五版，一九九七年十月二十七日。

魏紹昌　《我看鴛鴦蝴蝶派》，臺北：商務，一九九五年。

英文部分

Doyle, Arthur Conan Great Works of Sir Arthur Conan Doyle. New York: Chatham River Press, 1984.

Hodgson, John A., Editor Sherlock Holmes: The Major Stories with Contemporary Critical Essays. Boston: Bedford Books of St. Martin's Press, 1994.

國家圖書館出版品預行編目資料

古邸之怪 / 柯南・道爾原著；程小青等譯.
-- 修訂一版 . -- 臺北市：世界，1997〔民 86〕
面； 公分 -- (福爾摩斯探案全集)
譯自：The hound of baskervilles
ISBN 957-06-0170-1 (平裝)

873.57 86015773

福爾摩斯探案全集

古邸之怪

722 - 2926

作　者／柯南・道爾
譯　者／程小青等
修訂整理／世界書局編輯部
發行人／閻　初
發行者／世界書局
登記證／行政院新聞局局版臺業字第〇九三一號
地　址／台北市重慶南路一段九十九號
電　話／(〇二)二三一一〇一八三
傳　真／(〇二)二三三一七九六三
郵撥帳號／〇〇〇五八四三—七　世界書局
印刷者／世界書局
出版日期／一九二七年初版一刷
一九九七年十二月修訂一版一刷
定　價／一六〇元